HENNING
MANKELL

Comédia infantil

ORDFRONTS FÖRLAG
Stockholm 1996

Av Henning Mankell har tidigare utkommit på Ordfronts förlag

Fångvårdskolonin som försvann 1979
Dödsbrickan 1980
En seglares död 1981
Daisy Sisters 1982
Älskade syster 1983
Sagan om Isidor 1984
Leopardens öga 1990
Mördare utan ansikte 1991
Hundarna i Riga 1992
Den vita lejoninnan 1993
Mannen som log 1994
Villospår 1995

På andra förlag

Bergsprängaren 1973
Sandmålaren 1974
Vettvillingen 1977
Apelsinträdet 1983
Hunden som sprang mot en stjärna 1990
Skuggorna växer i skymningen 1991
Katten som älskade regn 1992
Eldens hemlighet 1995

Henning Mankell: Comédia infantil

Ordfronts förlag, Box 17506, 118 91 Stockholm

Omslagsbild: Marianne Enqvist

Ny utgåva 1996

Satt med Sabon av Ytterlids i Falkenberg

Tryck: Aktietrykkeriet i Trondhjem, Norge 1996

ISBN 91-7324-522-4

Innehåll

»Människan har två ögon;
ett ser blott vad som rör sig i flyktig tid,
det andra
vad som är evigt och gudomligt.«

Angelus Silesius

»Om detta är den bästa av världar,
hur måste då inte de andra vara?«

Voltaire: Candide

»Innan djupen voro till,
blev jag född,
innan källor ännu funnos,
fyllda med vatten...«

Ordspråksboken, 8:24–25

José Antonio Maria Vaz

På ett hustak av solbränd, rödaktig lera, en kvav och fuktig natt under den tropiska stjärnhimlen, står jag, som bär namnet José Antonio Maria Vaz och väntar på jordens undergång. Jag är smutsig och febrig, mina kläder hänger i trasor, som om de var på vild flykt från min magra kropp. I fickorna har jag mjöl och det är för mig mera dyrbart än om det hade varit guld. Ty för ett år sedan var jag ännu någonting, jag var bagare, i motsats till nu, när jag är ingenting, en tiggare som oroligt driver omkring om dagarna under den brännande solen och sedan tillbringar de ändlösa nätterna på ett övergivet hustak. Men även tiggare har tecken som ger dem en identitet, som skiljer dem från alla andra som bjuder ut sina händer i gathörnen, som om de ville ge bort dem eller sälja sina fingrar, ett efter ett. José Antonio Maria Vaz är trashanken som blivit känd som Vindarnas Krönikör. Dygnet runt, oavbrutet, rör sig mina läppar, som om jag berättade en historia som ingen någonsin har orkat lyssna på. Det är som om jag till slut har accepterat att monsunen som driver in från havet är min enda åhörare, alltid uppmärksam, tålmodigt väntande som en gammal präst, på att bekännelsen en gång ska ta slut.

Om nätterna tyr jag mig till detta övergivna tak, eftersom jag där tycker mig få överblick och rymd. Stjärnbilderna är stumma, de applåderar mig inte, men deras ögon gnistrar och jag tycker mig kunna tala rakt in i evighetens öra. Dessutom kan jag böja huvudet och se staden breda ut sig, nattstaden, där oroliga eldar flammar och dansar, osynliga hundar skrattar, och jag förundras över alla de människor som sover där, andas och drömmer och älskar medan jag står på mitt tak och talar om en människa som inte längre finns.

Jag, José Antonio Maria Vaz är också en del av denna stad som klänger sig fast längs sluttningarna ner mot den breda flodmynningen. Husen klättrar som apor längs branterna och för varje dag som går tycks människorna som bor där bli allt fler. De kommer vandrande från det okända inlandet, från savannen och de avlägsna, döda skogarna, ner mot kusten där staden ligger. De slår sig ner där och tycks inte märka alla fientliga blickar som möter dem. Ingen kan med säkerhet säga vad de lever av eller var de får tak över huvudet. De slukas av staden, blir en del av den. Och varje dag kommer nya främlingar, alla med sina knyten och korgar, de högresta svarta kvinnorna med jättelika tygbalar på sina värdiga huvuden, vandrande som rader av små svarta prickar mot horisonten. Det föds fler och fler barn, nya hus klättrar längs branterna, för att spolas bort när molnen är svarta och orkanerna härjar som mordiska banditer. Så har det pågått så länge någon kan minnas och många ligger vakna om nätterna och undrar hur det ska sluta.

När kommer staden att rasa nerför branterna och slukas av havet?

När blir tyngden av alla människor till slut för stor?

När går jorden under?

En gång låg också jag, José Antonio Maria Vaz, vaken om nätterna och undrade.

Men inte nu längre. Inte sedan jag mötte Nelio och bar upp honom på taket och såg honom dö.

Den oro jag kunde känna innan är nu borta. Rättare sagt har jag förstått att det är en avgörande skillnad mellan att vara rädd och att vara orolig.

Även det förklarade Nelio för mig.

– Är man rädd är det som om man lider av en obotlig hunger, sa han. Är man däremot orolig så bjuder man oron motstånd.

Jag minns hans ord och jag vet nu att han hade rätt. Jag kan stå och se ut över den nattliga staden, de oroligt flammande eldarna, och jag kan minnas allt han sa under de nio nätter jag var tillsammans med honom och såg honom dö.

Men också taket finns med som en levande del av historien. Det är som om jag befinner mig på en havsbotten, jag har sjunkit och kan inte komma längre. Jag finns på min egen historias botten, det var här, på detta tak allting började och allting också slutade.

Ibland kan jag föreställa mig min uppgift just så: att jag för evigt ska vandra omkring på botten av detta tak och rikta mina ord mot stjärnorna. Just sådan är min uppgift, för alltid.

Det här är min märkliga historia, jag vill tro, omöjlig att glömma.

Det var den kvällen, mot slutet av november, för ett år sedan, när det var fullmåne och hade klarnat efter de häftiga regnen som jag la ner Nelio på den smutsiga madrassen där han nio dagar senare, alldeles i gryningen, skulle komma att dö. Då hade han redan tappat mycket blod, de bandage jag efter bästa förmåga försökte tillverka, av tygbitar jag rev ur mina egna slitna kläder, hjälpte inte mycket. Långt före mig visste han att han snart inte skulle finnas mer.

Det var också då allting började om, som om en ny märklig tideräkning plötsligt hade tagit sin början. Det minns jag alldeles bestämt, trots att det redan har gått över ett år sedan den gången och mycket annat har hänt i mitt liv.

Jag minns månen mot den mörka himlen.

Jag minns den som ett återsken av Nelios bleka ansikte där de salta svettdropparna glittrade, medan livet långsamt, nästan försiktigt, som om det hade gällt att inte väcka en sovande, lämnade hans kropp.

Den tidiga morgonen, efter den nionde natten, när Nelio dog, var det någonting viktigt som tog slut. Jag har svårt att förklara närmare vad jag menar. Men ibland i mitt liv kan det kännas som om jag omges av ett stort tomrum. Som om jag befann mig inuti ett jättelikt rum av osynlig väv som jag inte kan ta mig ur.

Det var så jag kände det den där morgonen när Nelio låg och dog, övergiven av alla, endast med mig som vittne.

Efteråt, när allt var över, gjorde jag som han bett mig.

Jag bar hans kropp nerför de vindlande trapporna, ner till bageriet där värmen alltid var så stark att jag aldrig kunde vänja mig vid den.

Jag var ensam där om natten, den stora ugnen var het i väntan på det bröd som snart skulle gräddas för den hungriga morgondagen. Jag sköt in hans kropp i ugnen, slog igen luckan och väntade i exakt en timme. Så lång tid skulle det ta, hade han sagt, innan hans kropp hade försvunnit. Efteråt, när jag åter öppnade luckan hade ingenting funnits kvar. Hans ande hade blåst förbi mig, som en kylig fläkt ur den infernaliska värmen, och sedan var det inte mer.

Jag gick tillbaka upp på taket. Där stannade jag tills det åter hade blivit natt. Och det var då, under stjärnorna och den knappt synliga tunna månskäran, med den milda vinden från Indiska oceanen strykande över mitt ansikte, mitt i sorgen, som jag insåg att det var jag som måste berätta Nelios historia.

Det fanns helt enkelt ingen annan som kunde göra det.

Ingen utom jag. Ingen alls.

Och historien måste bli berättad. Den fick inte bara bli liggande som en övergiven och fredlös minnesbild i den skräpkammare som ryms i varje mänsklig hjärna.

För det var ju så: Nelio hade inte enbart varit ett fattigt och smutsigt gatubarn. Han hade framförallt varit en märklig människa, ogripbar, mångtydig, som en sällsynt fågel alla talar om men som ingen egentligen har sett. Trots att han bara hade varit tio år när han dog hade han burit på en erfarenhet och livsvisdom som om han hade levat i hundra år. Nelio – om han nu verkligen hette så, det hände att han då och då oväntat kallade sig något annat – omgav sig med ett osynligt magnetiskt fält som ingen kunde tränga igenom. Av alla – även de brutala polismännen och de ständigt lika nervösa indiska affärsmännen – behandlades han med vördnad. Många sökte hans råd eller höll sig bara försiktigt i hans närhet, i hopp om att något lite av hans hemlighetsfulla krafter skulle överföras på dem själva.

Och nu var Nelio död.

Nersänkt i den djupa febern hade han mödosamt svettats ut sitt sista andetag.

En ensam dyning hade fortplantat sig över världens hav, sedan hade allt varit över och tystnaden skrämmande i sin tomhet. Jag stod och såg mot stjärnhimlen och tänkte att ingenting längre skulle bli som förr.

Jag visste vad många tänkte. Jag hade själv tänkt det. Att Nelio egentligen inte varit en människa. Utan en gud. En av de gamla bortglömda gudarna som trotsigt eller kanske dumdristigt hade återvänt till jorden och smugit sig in i Nelios magra kropp. Eller om han nu inte varit en gud så hade han åtminstone varit ett helgon. Ett gatubarnshelgon.

Och nu var han död. Borta.

Den milda vinden från havet som strök över mitt ansikte kändes plötsligt kall och hotfull. Jag såg ut över den mörka staden som klättrade längs sluttningarna ner mot havet, såg de flammande eldarna och de enstaka gatlyktorna där nattfjärilarna dansade, och tänkte: Här levde Nelio en kort tid, mitt ibland oss. Och jag är den ende som känner hela hans historia. Till mig anförtrodde han sig när han hade blivit skjuten och jag burit upp honom på taket och lagt ner honom på den smutsiga madrassen som han aldrig mer skulle resa sig ifrån.

– Det är inte för att jag är rädd för att bli bortglömd, hade han sagt.

Det är för att ni inte ska glömma bort vilka ni själva är.

Nelio påminde oss om vilka vi egentligen var. Människor som var och en bar på hemliga krafter vi inte kände till. Nelio var en märkvärdig människa. Hans närvaro gjorde att vi alla kände oss märkvärdiga.

Det var hans hemlighet.

Det är natt vid den Indiska oceanen.

Nelio är död.

Och hur osannolikt det än kan låta verkade det på mig som om han dog utan att ens vara rädd.

Hur kan det vara möjligt? Att en tioåring dör utan att avslöja ens en glimt av fasa över att inte få lov att vara med i livet längre?

Jag förstår det inte. Inte alls.

Jag, som är en vuxen människa, kan inte tänka på döden utan att känna en isande hand runt min strupe.

Men Nelio bara log. Tydligen hade han ändå en hemlighet han inte delade med sig av till oss andra. Det var märkligt, eftersom han varit mycket generös med de få ägodelar han hade, vare sig det gällde de smutsiga skjortor av indisk bomull han alltid bar eller någon av hans ständigt lika oväntade tankar.

Att han inte längre finns tar jag som ett tecken på att jorden snart kommer att gå under.

Eller tar jag miste?

Jag står på taket och tänker på första gången jag såg honom, när han låg på det smutsiga golvet och hade blivit träffad av den förvirrade mördarens kulor.

Jag tar den mjuka nattvinden som driver in från havet till min hjälp för att minnas.

Nelio brukade fråga:

– Känner du vad vinden smakar?

Jag visste aldrig vad jag skulle svara. Kan vinden verkligen ha någon smak?

Det menade Nelio.

– Hemlighetsfulla kryddor, sa han plötsligt, jag tror det var den sjunde natten. Som berättar för oss om händelser och människor långt borta. Som vi inte kan se. Men som vi kan känna genom att dra in vinden djupt i våra munnar och sedan äta den.

Nelio var sådan. Han menade att vinden gick att äta.

Att vinden kunde döva hunger.

Och när jag nu försöker återkalla det jag hörde under de nio nätterna tillsammans med Nelio, då kan jag tänka att mitt minne nog varken är bättre eller sämre än någon annans.

Men jag vet också att jag lever i en tid när människor oftare försöker glömma än minnas. Därmed förstår jag också tydligare min egen fruktan, att jag faktiskt väntar på jordens undergång. Människan lever för att skapa och dela med sig av sina goda minnen. Men är vi ärliga mot oss själva, inser vi att tiden är mörk, lika mörk som staden under mina fötter, stjärnorna lyser motvilligt över vår försummade jord och minnena av de goda upplevelserna är så få att de stora rummen i våra hjärnor, där hågkomsterna ska samlas, står tomma och igenbommade.

Egentligen är det konstigt att jag säger det här.

Jag är ingen svartsynt person. Jag skrattar betydligt oftare än jag gråter.

Även om jag nu är en tiggare och trashank har jag bevarat bagarens glada hjärta i min kropp.

Jag märker att jag har svårt att förklara vad jag menar. Om man som jag har bakat bröd i ett hett och kvävande bageri sedan sex års ålder, har man det inte så lätt med orden.

Jag gick aldrig i skola. Jag lärde mig läsa i gamla sönderrivna tidningar, ofta så gamla att staden när den omnämndes, fortfarande hade det numera borttagna koloniala namnet. Jag lärde mig läsa medan vi väntade på att brödet skulle gräddas i ugnarna. Det var gamle mästerbagaren, Fernando, som lärde mig. Jag kan fortfarande alldeles klart minnas alla de nätter då han skällde och svor över att jag var så lat.

– Bokstäverna och orden kommer inte till en människa, suckade han. Det är människan som måste komma till dem.

Men jag lärde mig till slut. Jag lärde mig umgås med orden, om än på avstånd och alltid med en känsla av att inte vara dem riktigt värdig.

Fortfarande är orden främlingar för mig. I alla fall när jag ska försöka berätta vad jag tänker eller känner. Men jag måste försöka. Jag kan inte vänta längre. Det har redan gått ett år.

Ännu har jag inte berättat om den bländvita sanden, de rasslande palmerna och hajarna som man ibland kan se strax utanför den nervittrade hamnpiren.

Men det ska jag göra sedan.

Nu ska jag tala om Nelio, den märkvärdige. Han som hade kommit till staden från ingenstans. Han som hade bosatt sig inuti en staty som stod bortglömd på ett av stadens torg.

Och det är just här jag kan börja min historia.

Allting börjar med vinden, den hemlighetsfulla och lockande, som driver in över vår stad från den evigt vandrande Indiska oceanen.

Jag, José Antonio Maria Vaz, en ensam man på ett tak, under den tropiska stjärnhimlen, har en historia att berätta.

Den första natten

När skotten föll den där ödesdigra natten, och jag hittade Nelio badande i sitt eget blod, hade jag redan arbetat på den förvirrade och halvtokiga Dona Esmeraldas bageri under många år. Ingen hade stått ut så länge som jag.

Dona Esmeralda var en häpnadsväckande kvinna som ingen i staden – och alla visste vem hon var – inte i hemlighet beundrade eller fördömde som galen. När Nelio utan hennes vetskap låg på bageriets tak och dog var hon över nittio år gammal. Det fanns de som påstod att hon redan hade fyllt hundra, men ingen kunde säga med säkerhet. Det var det enda som med visshet kunde sägas om Dona Esmeralda, att inget var säkert. Det var som om hon hade funnits i alla tider, hon var ett med staden och dess grundläggning. Ingen kunde heller påminna sig att hon någonsin varit ung. Hon hade alltid varit nittio eller kanske hundra år gammal. Hon hade i alla tider färdats i sin gamla bil i hög hastighet med suffletten öppen, än på den ena, än på den andra sidan av gatan. Hennes klänningar hade alltid varit av svepande siden, hennes hattar fastsatta under den rynkiga hakan med breda band. Men även om hon alltid hade varit mycket gammal förklarade man för de främlingar som med nöd lyckats undgå att bli överkörda under hennes vilda framfart att hon var yngsta dotter till den beryktade stadsguvernören Dom Joaquim Leonardo dos Santos som under sitt skandalomsusade liv bland annat hade fyllt staden med ett otal ryttarstatyer på de olika centrala torgen. Om Dom Joaquim gick ett otal historier, inte minst om det stora antal oäkta barn som han hade lämnat efter sig. Med sin hustru, den fågelliknande Dona Celestina hade han haft tre döttrar, varav Esmeralda var den som hade liknat honom mest, om inte till utseendet så dock till sättet. Dom Joaquim hade tillhört en av de äldsta koloniala släkterna som kommit från andra sidan havet i mitten på förra seklet. Hans familj hade på kort tid blivit en av de mest dominerande i landet. Dom Joaquims bröder hade skaffat sig positioner genom prospektering av ädelstenar i de avlägsna provinserna, som storviltjägare, prelater och militärer. Dom Joaquim själv hade i mycket unga år slagit sig in på det förvirrade område som var den lokala politiken. Eftersom landet styrdes som en provins från andra sidan havet, kunde de lokalt tillsatta guvernörerna i stort sett göra som de ville, ingen hade ändå möjlighet att kontrollera vad de hade för sig. Vid de få tillfällen då misstänksamheten blivit allt för stor skickades regeringstjänstemän över havet för att kontrollera vad som egentligen pågick inom den koloniala administrationen. En gång hade Dom Joaquim fyllt deras kontor med ormar, en annan gång hyrt in ett antal vilda trumslagare i ett närbeläget hus, varpå regeringstjänstemännen antingen blivit tokiga eller försjunkit i en stor tystnad och därefter återvänt så fort det hade funnits något skepp som skulle segla mot Europa. Deras rapporter hade alltid varit lugnande, allt stod väl till i kolonin, och som en bekräftelse på detta hade Dom Joaquim stoppat små tygpåser med ädelstenar i deras fickor när han vinkade av dem på kajen. Dom Joaquim hade första gången blivit vald till stadsguvernör i ett lokalt val när han inte var mycket mer än tjugo år gammal. Hans motståndare, en gammal vänlig och godtrogen överste hade dragit sig ur valkampen efter det att Dom Joaquim mycket skickligt hade låtit sprida ut ett rykte att mannen varit straffad för icke närmare angivna brott i sin ungdom, när han ännu levat på andra sidan havet. Trots att beskyllningarna var falska insåg översten att han aldrig skulle kunna bekämpa ryktena och gav upp. Som vid alla andra val hade valfusket varit den grundläggande organisatoriska förutsättningen och han hade blivit vald med en majoritet som vida överskred det totala antal röstberättigade som vid tillfället fanns registrerade. Hans valprograms viktigaste beståndsdel hade varit ett löfte att kraftigt öka antalet lokala arbetsfria helgdagar om han blev vald, något som han också omedelbart genomförde när han hade blivit installerad och för första gången visade sig på guvernörsresidensets trappa med den plymförsedda, trekantiga hatten på sitt huvud, som var det yttersta tecknet på hans nya, demokratiskt erövrade värdighet. Dom Joaquims inledande åtgärd som nyvald guvernör var att låta uppföra en stor balkong på residensets framsida från vilken han vid lämpliga tillfällen kunde hålla tal till stadens befolkning. Sedan han väl hade blivit vald såg han noga till att ingen någonsin kunde utmana honom om hans värdighet som guvernör och han blev omvald under de följande sextio åren med allt större majoriteter, trots att befolkningen under denna tid kraftigt minskade. När han till sist dog hade han dock inte visat sig offentligt på lång tid. Då hade han varit så förvirrad och sjunkit så djupt ner i ålderdomens dimma att han ibland hade trott att han redan hade avlidit och om nätterna sov han i en kista som stod vid sidan av den breda sängen i guvernörspalatset. Ingen hade dock haft mod att ifrågasätta det lämpliga i att han hade fortsatt som guvernör, alla hade fruktat honom, och när han till slut äntligen hade dött, halvvägs utkrupen ur sin kista, som om han en sista gång ville kravla ut på balkongen och se ut över den stad som hade förändrats till oigenkännlighet under hans många år vid makten, hade ingen vågat göra något förrän han efter några dagar i den kraftiga värmen började lukta.

Han hade varit Dona Esmeraldas far och hon var honom lik. När hon rasade fram genom staden i sin öppna bil kunde hon överallt se de mäktiga statyer som trängdes på stadens torg, och alla påminde de henne om hennes far. Dom Joaquim hade alltid varit vaksam inför de minsta tecken till revolutionärt missnöje och oro i landet. Han hade vid unga år tillsatt en stab av hemliga poliser, en stab som alla kände till men som officiellt inte alls existerade. Deras enda uppgift var att blanda sig med folket och lyssna efter minsta tecken till oro. Samtidigt hade Dom Joaquim raskt slagit till när en revolution i något grannland kastat de aktuella despoterna i fängelse, drivit dem i landsflykt eller ställt dem framför ett antal gevärspipor. Han hade genast gett ett anbud på de statyer som de rasande folkmassorna störtat till marken. Han hade betalat bra och de hade transporterats med båtar och vagnar till staden. Där hade de forna namninskriptionerna slipats bort och Dom Joaquim hade beordrat att hans eget släktnamn skulle graveras in på statyerna. Eftersom hans släkt var av enkel bondehärstamning från de sydeuropeiska slättlanden hade han utan samvetsbetänkligheter uppfunnit en ny stamtavla åt sig själv. Så kom det sig att staden fylldes med statyer av forna härförare ur hans släkt som aldrig existerat. Eftersom revolutioner i grannländerna skedde oavbrutet var tillflödet av statyer så omfattande att han tvingades anlägga nya torg för att få plats med alla dem som han köpte. När han till sist dog var alla tänkbara öppna platser i staden fyllda av brittiska, tyska, franska och portugisiska monument över personer som numera ingick i den skara av härförare, tänkare och upptäcktsresande som Dom Joaquim i sin outtömliga fantasi hade begåvat sin släkt med.

Alla dessa minnen av Dom Joaquim och hans liv susade hans dotter, den evigt nittioåriga Esmeralda förbi, i sitt oroliga sökande efter en mening med sitt eget liv. Hon hade varit gift fyra gånger, aldrig mer än ett år åt gången, eftersom hon själv nästan omedelbart hade tröttnat och de män hon hade valt hade flytt i fruktan för hennes våldsamma humör. Hon hade aldrig fått några barn – även om det gick rykten om att hon hade en hemlig son någonstans, som en dag skulle uppenbara sig och låta välja sig till guvernör i sin morfars efterföljd. Men ingen son hade visat sig och Dona Esmeraldas liv hade fortsatt att växla bana i hennes rastlösa sökande efter något som hon aldrig tycktes få veta vad det var.

Under denna tid i stadens liv, som också hade kunnat kallas Dona Esmeraldas tid, hade det koloniala kriget även nått detta land, som ett av de sista på hela den afrikanska kontinenten. De unga män som hade bestämt sig för att göra sin oundvikliga historiska plikt och frigöra landet från den alltmer försvagade kolonialmakten, hade gått över landets norra gräns och i grannlandet, som redan hade kastat av sig sitt förflutna, upprättat sina egna baser, sina egna universitet, och sedan, när tiden ansetts vara mogen, gått tillbaka över gränsen, denna gång fullastade med vapen och tillförsikt.

Kriget hade börjat en mörk septemberkväll när en lokal *chefe de posto* hade blivit skjuten i tummen av en nittonårig revolutionär soldat, som sedermera skulle bli det självständiga landets förste militäre överbefälhavare. Landet på andra sidan havet hade de första fem åren av kriget vägrat acceptera att det överhuvudtaget pågick. I sin alltmer genomskinliga propaganda hade den revolutionära armén kallats för vilseförda terrorister, förvirrade *criminosos*, och befolkningen hade uppmanats att ta dem hårt i öronen istället för att lyssna till deras illvilliga tal om att en annan tid och en annan värld var att vänta. Så småningom hade dock kolonialmakten tvingats inse att de unga männen var ytterst målmedvetna och att de alldeles uppenbart även hade den trolösa befolkningens öra. En kolonial armé skeppades skyndsamt ut, man började på måfå att bomba där man trodde att de revolutionära befriarna hade sina baser, och utan att man egentligen märkte det gick man från nederlag till nederlag. Ända in i det sista vägrade alla de som kommit till landet som kolonisatörer att acceptera det som höll på att ske. Till och med när de unga revolutionärerna hade omringat huvudstaden och stod endast några kilometer utanför de svarta bostadsområdena, fortsatte de vita kolonisatörerna att administrera och planera för en framtid som aldrig skulle komma att inträffa.

Först efteråt, när nederlaget var ett faktum och landet hade proklamerat sin självständighet, upptäckte man de långa raderna av vita gravstenar på kyrkogården. Där låg de unga pojkar, ofta inte mer än arton, nitton år gamla, som kommit över havet för att delta i ett krig de inte förstod någonting av och för att dödas av soldater de aldrig såg skymten av. Det utbröt kaos i staden, många av kolonisatörerna flydde hals över huvud, de lämnade sina hus, sina bilar, sina trädgårdar, sina skor, sina svarta älskarinnor, trampade ner varandra i avgångshallen på flygplatsen och slogs om platserna på de fartyg som skulle lämna hamnen.

De som hade varit tillräckligt framsynta hade växlat sina pengar och ägodelar till ädelstenar som nu låg i små tygpåsar som hängde innanför de svettiga skjortorna. De andra lämnade allt efter sig och for från landet med en förbannelse över de orättfärdiga revolutionärer som hade tagit allt de ägde ifrån dem.

Trots att Dona Esmeralda aldrig intresserat sig för politiska frågor och vid denna tid redan var minst åttio år gammal, hade hon på ett tidigt stadium, förmodligen av ren instinkt, förstått att de unga revolutionärerna skulle vinna kriget. En ny tid skulle faktiskt komma, och hon var tvungen att välja var hon ville höra hemma. Det hade inte vållat henne några svårigheter att inse att hon tillhörde de unga revolutionärerna. Den tungfotade byråkrati som tycktes vara det enda som kolonialmakten bistod sin fjärran provins med, skulle hon med en blandning av vrede och glädje gärna bekämpa. Hon satte på sig den mörkaste hatt hon hade, möjligen i avsikt att kamouflera sina förrädiska avsikter, och körde sin bil ut ur staden, den norra vägen. Hon passerade ett antal militära vägspärrar där man förgäves försökte få henne att vända om, med varningen att hon nu gav sig in i områden som kontrollerades av blodtörstiga revolutionärer som skulle konfiskera hennes bil, rycka av henne hatten och sedan skära halsen av henne. När hon ändå fortsatte bedömde man henne som tokig, och det var där, vid dessa vägspärrar, som det rykte föddes som med bestämdhet sa att Dona Esmeralda var galen.

Hon blev mycket riktigt stoppad av de unga revolutionärerna, men de ryckte varken hatten av henne eller skar av hennes strupe. Tvärtom behandlade de henne vänligt och med respekt. Av en lokal kommendant vid en av de närliggande baserna blev hon förhörd om varför hon reste omkring ensam i sin stora öppna bil. Hon meddelade då kort att hon ville enrollera sig i den revolutionära armén och plockade fram en gammal rostig ryttarpistol, som en gång hade tillhört hennes far, ur sin handväska. Den unge kommendanten som hette Lorenzo och som senare skulle hamna i onåd på grund av sitt våldsamma begär efter andras kvinnor, skickade henne vidare till en bas ett tiotal mil längre ut i bushen, där det fanns en högre befälhavare i den revolutionära armén som bättre kunde avgöra vad som borde ske med Dona Esmeralda. Denne man, som hette Marcelino och var överste i den revolutionära armén, kände väl till den gamle guvernören Dom Joaquim. Han välkomnade Dona Esmeralda, gav henne en uniformsmössa i utbyte mot den brokiga hatten och ledde personligen hennes undervisning i de ideologiska trosläror som den revolutionära kampen tryggt förlitade sig på. Därefter skickade han Dona Esmeralda till ett ambulerande fältsjukhus där han trodde att hon skulle göra mest nytta. Under ledning av några kubanska läkare lärde hon sig på mycket kort tid att assistera vid komplicerade operationer. Där blev hon kvar under resten av det koloniala kriget och när de nya ledarna till slut gjorde sitt bejublade intåg i staden, kunde befolkningen förbluffat se hur den öppna bil de så väl kände igen, men som de saknat på gatorna under ett antal år, återkom med Dona Esmeralda som chaufför och med en av de revolutionära ledarna stående och vinkande i baksätet. I det kaos som rådde under den berusade tiden efter befrielsen blev hon tillfrågad av den nye presidenten vilken roll hon ville spela i den revolutionära omdaning av det gamla samhället som nu hade påbörjats.

– Jag vill starta en teater, hade hon svarat utan att tveka.

Presidenten hade förvånat försökt beveka henne att påta sig en uppgift av större revolutionärt värde, men hon hade varit mycket bestämd. Till sist hade presidenten insett att han inte skulle kunna få henne att ändra åsikt. Han utfärdade ett dekret som han sedermera lät kulturministern bekräfta, som innebar att Dona Esmeralda fick ansvar för stadens enda teaterbyggnad.

Så började den nya tiden. Dona Esmeralda var så upptagen av sitt nya liv att hon inte ens märkte att de statyer som hennes far med så stor möda hade inköpt från olika diktaturers dödsbon nu åter störtades till marken och transporterades till en gammal fästning där de ställdes undan eller smältes ner. Staden som till nu hade präglats av hennes påhittade släkt förvandlades utan att hon märkte det. Själv tillbringade hon all sin tid i den mörka och förfallna teaterbyggnad som länge hade stått övergiven. Den hade sjunkit ner i ett kloakliknande tillstånd, stanken var fruktansvärd och råttor, stora som katter, behärskade scenen där gamla kulisser stod och ruttnade.

Med ursinnig energi började Dona Esmeralda med att förklara råttorna och stanken krig, och kastade sig sedan ut i ett våldsamt angrepp som hade som enda mål att återövra teatern som låg där i sörjan som ett havererat skepp. Ingen som såg henne under denna tid underlät att påpeka att nu hade Dona Esmeraldas galenskap slagit ut för fullt. Med avsmak och illa dolt förakt konstaterade man att hon sysselsatte sig med ett absolut onödigt arbete, den största synd en människa kan begå. Då och då lyckades hon få hjälp av unga människor som var lika sysslolösa som okunniga om vad teater egentligen var. Dona Esmeralda brukade förklarande säga att det var *som film utan projektor*, och när hon utlovade den hägrande möjligheten att de en gång skulle få pröva sin förmåga på den scen som ännu till hälften var begravd i den översvämmade kloaken, lyckades hon ibland förmå dem att knyta upp kjolarna, kavla upp byxbenen och klafsa runt i sörjan, jaga råttor med påkar och släpa ut alla de ruttnande kulisserna.

Efter ett halvår hade hon kommit så långt att scenen och salongen med de trasiga röda plaststolarna hade återerövrats och hon lyckades till sist också få de elektriska ledningarna att fungera. Det var ett stort ögonblick när hon slog på ljuset för första gången. Två trettio år gamla strålkastare exploderade omedelbart med kraftiga smällar. Men för Dona Esmeralda var det som saluterande raketer. Nu kunde hon äntligen se sin teater och det hon såg övertygade henne om att hon hade rätt, fast ännu ingen visste vad det var hon ville.

Ytterligare ett halvt år senare hade hon samlat en grupp hågade människor runt sig, och hon hade författat ett skådespel om en *halakawuma* som ständigt gav sin kung felaktiga råd. Det var en pjäs med över sju timmars speltid. Dona Esmeralda byggde kulisserna, sydde kostymerna, regisserade skådespelarna och påtog sig själv de roller hon aldrig lyckades besätta.

En decemberkväll skulle teatern återinvigas, hon hade skickat inbjudan till presidenten och kulturministern, som inte var odelat nöjd med att Dona Esmeralda tillbakavisade ministeriets många byråkrater när de kom med goda råd om hur teaterverksamheten lämpligen borde bedrivas. Ett kraftigt slagregn slog ut de elektriska ledningarna just när föreställningen skulle börja, presidenten hade lämnat återbud med beklagande, men den korpulente före detta skomakaren Adelinho Manjate, som numera var kulturminister i kraft av sina framgångar som dansör under åren som revolutionär soldat, hade infunnit sig. Föreställningen blev flera timmar försenad, det strömmade oavbrutet regnvatten genom taket på den festklädda men alltmer missnöjda publiken.

Klockan var över tio på kvällen när Dona Esmeralda kunde slå på strålkastarna och den förste skådespelaren som glömt sina repliker kom in på scenen. Föreställningen blev ett sällsamt äventyr som var slut först i gryningen dagen efter. Ingen av de närvarande, minst av allt skådespelarna, hade helt lyckats förstå vad pjäsen handlat om, men ingen som var närvarande skulle å andra sidan glömma vad de varit med om. När Dona Esmeralda i den tidiga gryningstimman äntligen var ensam kvar på scenen genomströmmades hon av den sällsamma lycka som bara den som gjort det omöjliga kan känna. Hon tänkte med vemod på sin far, den gamle guvernören, som inte fått uppleva detta stolta ögonblick, och insåg sedan plötsligt att hon var hungrig. Under det gångna året hade hon inte haft tid att äta.

Hon gick ut i staden, regnet hade upphört, det doftade friskt från de blommande akacior som kantade stadens centrala gator. Hon betraktade nyfiket människorna hon mötte, som om hon för första gången hade insett att hon inte var ensam i staden, och hon upptäckte att alla de statyer som hennes far lagt ner ett helt liv på att inköpa och pryda torgen med, nu plötsligt hade försvunnit. Ett kort ögonblick kände hon sig gammal och sorgsen över att den nya tiden tydligen innebar att ingenting skulle få förbli som det tidigare hade varit. Men hennes triumf var starkare än sorgen, hon glömde hastigt de tunga tankarna, och stannade vid ett kafé, satte sig vid ett bord, beställde ett glas konjak och en bit bröd. Medan hon funderade på hur hon skulle kunna skaffa pengar till den fortsatta driften av teatern tuggade hon i sig brödet. Det var då hon insåg att det gamla biljettkontoret och det övergivna kaféet som tillhörde teaterlokalens foajé kunde göras om till bageri. Genom att sälja bröd skulle hon kunna skaffa de pengar som behövdes. Hon tuggade i sig det som var kvar av brödet, reste sig, återvände till teatern och började genast röja ut och ge plats åt degblandare och ugnar. För att få pengar till de nödvändiga investeringarna sålde hon sin bil till en tjänsteman på den Brittiska ambassaden, och efter tre månader slog hon upp bageriets dörrar.

Jag, José Antonio Maria Vaz, hade kommit till Dona Esmeralda så snart ryktet om att hon skulle öppna ett bageri hade spritt sig i staden. Jag arbetade den gången för bagaren Felisberto i hamnområdet, och hade inga tankar på att sluta. Ändå kunde jag en eftermiddag efter arbetet inte låta bli att bege mig till Dona Esmeralda som just höll på att anställa bagare. En lång kö ringlade från den låga sidoporten vid teatern. Jag ställde mig längst bak trots att jag insåg att det var meningslöst. Men jag kunde inte motstå frestelsen att stanna, att en gång i livet komma den märkliga Dona Esmeralda nära. När det till sist blev min tur släpptes jag in och fördes till ett rum där den glänsande degblandaren av rostfritt stål stod och väntade på att få börja arbeta. Mitt i rummet, på en låg pall satt Dona Esmeralda i en lång sidenklänning och med en bredbrättad, blomstermönstrad hatt på huvudet. Hon såg allvarligt på mig. Hon hade något undrande i blicken, som om hon frågade sig om hon hade träffat mig tidigare. Så nickade hon plötsligt, som om hon fattat ett viktigt beslut.

– Du ser ut som en bagare, sa hon. Har du något namn?

– José Antonio Maria Vaz, svarade jag. Sedan jag var sex år har jag bakat bröd.

Jag berättade för henne var jag arbetade, men jag var aldrig säker på om hon hörde vad jag sa.

– Vad betalar dig Felisberto? avbröt hon.

– 130.000, svarade jag.

– Jag ger dig 129.000, svarade hon. Om du verkligen vill arbeta här nöjer du dig med mindre än vad du har nu hos Felisberto.

Jag nickade. Så var jag anställd. Det är nu mer än fem år sedan. Men jag kan fortfarande minnas ögonblicket som om det hade passerat alldeles nyligen. Dona Esmeralda bad mig börja arbeta genast. Hon ville att jag skulle hjälpa henne med att planera inköpen av mjöl och socker och jäst och smör och ägg. Under de långa dagar och kvällar vi arbetade tillsammans innan bageriet öppnade, berättade hon om sitt liv. Det är så jag kan förklara att jag vet allt det jag vet om henne. Det var genom henne jag började förstå något om den stad jag levde i, det land som var mitt.

Om Dona Esmeralda var tokig eller inte kan jag inte avgöra. Däremot kan jag med bestämdhet säga att hon hade en energi och en vilja som jag aldrig tidigare hade mött. Människor runt henne kunde stupa av trötthet, bara av att se henne hålla på med sin teater och sitt bageri. Trots att hon nu var mellan åttio och nittio år gammal vilade hon aldrig. Många nätter brydde hon sig inte ens om att gå hem utan rullade bara ihop sig på några mjölsäckar, ropade god natt till bagarna, och steg sedan upp efter en halvtimme igen, uppfylld av förnyad energi, som om hon hade vaknat efter en lång natts sömn. Då och då, medan vi väntade på att en deg skulle jäsa, brukade vi diskutera när och vad Dona Esmeralda egentligen åt. Regelbundet brukade hon skrapa degblandarens kanter rena från deg med fingrarna. Ingen hade någonsin sett henne äta något annat. Däremot hade hon alltid en konjaksflaska stående i sin närhet. Vi anade att det var ur den hon hämtade de krafter hon behövde, men eftersom vi var enkla människor som aldrig hade haft råd eller möjlighet att smaka utländska destillerade drycker, utan bara festat om på *tontonto*, brukade vi diskutera om hennes flaskor innehöll något som också höll en människa ung. Kanske Dona Esmeralda hade en *curandeiro* som gav hennes drycker magiska egenskaper?

När jag, José Antonio Maria Vaz, kom till Dona Esmeraldas bageri, som hon hade gett namnet Det Heliga Brödets Bageri, hade jag just fyllt arton år. Jag var nu utlärd bagare, även om jag ännu saknade ett mästarbrev. Men jag hade bakat bröd sedan jag var sex år gammal.

Det var min far som hade tagit mig med till sin farbror, mäster Fernando, som drev ett bageri i den afrikanska *bairro* som låg bortom flygplatsen. Min far som i hela sitt liv var en ytterst orealistisk man hade en dag betraktat mina händer och bestämt att de var lämpliga att forma croissanter. Min framtid och utkomst skulle jag finna som bagare. Som nästan alla andra afrikaner var vi fattiga. Jag växte upp under den tid då ingen ännu hade hört talas om de unga revolutionärer som redan hade gått över den norra gränsen. Ingen kunde överhuvudtaget föreställa sig att de vita som härskade över vårt land och våra liv någonsin skulle få sin makt ifrågasatt och ännu mindre att de en dag skulle komma att fly hals över huvud för att aldrig mera återvända. I generationer hade vi tvingats böja våra nackar i underdånighet. Trots att jag nu vet att förtryck aldrig kan bli en vana, och trots att det redan den gången fanns ett motstånd i det tysta mot alla de vita som styrde över våra liv, så var det ingen förutom de unga revolutionärerna som trodde att något på allvar skulle kunna förändras. Min far som tillbringade sitt långa liv med att oavbrutet prata kunde vid många tillfällen, när han var säker på att ingen vit kunde uppfatta vad han sa, förbanna dem som kommit över havet och tvingat oss att arbeta på sina teplantager och fruktodlingar. Men det var en protest som slog invecklade knutar på sig själv, som aldrig ledde till annat än flera ord.

I fyrtio år satt min far under ett träd på den öppna platsen bland skjulen och hyddorna i *bairron*. Han satt i skuggan och pratade med de andra sysslolösa männen, medan han väntade på att den mat som min mor tillagade över den öppna elden skulle bli klar. Han pratade oavbrutet under alla dessa år, min mor lyssnade uppgivet och aldrig med mer än ett halvt öra på det han sa, men jag tror ändå att det var hans vackra röst som gjorde att hon en gång föll för honom. De fick tillsammans elva barn, jag var det åttonde, och sju av oss växte upp och överlevde båda våra föräldrar. Min far, Zeca Antonio, hade en gång kommit till staden från en av de avlägsna västra provinserna, och han talade alltid om att han en dag skulle ta med sin familj och återvända dit. Min mor, Graça, hade han träffat nästan genast efter ankomsten till staden, hon var född där, och hon hade alltså blivit förförd av alla hans ord och de hade byggt sitt torftiga hus i den *bairro* som växte upp i samband med att den nya flygplatsen hade blivit anlagd. Ingen av dem kunde läsa eller skriva, och av barnen var det till slut bara jag och en av mina systrar som någonsin lärde oss hantera bokstäver och ord.

Det var först efteråt, när de unga revolutionärerna hade kommit till staden och Dom Joaquims ryttarstatyer hade rivits ner från sina socklar, som människor på allvar blev upprörda. Det var som om de först då såg de sekellånga orättvisor de hade varit utsatta för, och de förutsatte att den befrielse, den frihet de unga revolutionärerna talade om, innebar friheten att slippa arbeta. När de insåg att friheten innebar att de måste arbeta lika hårt, men dessutom nu också måste börja tänka själva, planera det arbete som skulle utföras, var det många som i djupet av sina själar blev ytterst förvirrade. Några år efter det att de vita hade försvunnit över havet, kunde jag höra min far, lika tyst som han en gång hade kritiserat den koloniala tidens tillstånd, beklaga sig över de unga revolutionärernas framfart, och på allvar ge uttryck för drömmar om den gamla goda tiden, då det var ordning och reda, och de vita ännu bestämde vilka tankar som behövde tänkas. Det var en förvirrad tid när man plötsligt skulle sluta säga *patrão* och kalla alla och envar för *camarada*. Det var en tid då allting skulle förändras men då allting ändå förblev vid det gamla fast på ett annat sätt.

Det var också då som det långa inbördeskriget bröt ut. Av de unga revolutionärer, som nu blivit medelålders och for omkring i svarta mercedesar och hade ylande motorcykelpoliser som eskort, kallades de andra i kriget för *bandidos armados*. Vi förstod så mycket som att de var de vita som hade flytt och som nu drömde om sin återkomst som låg bakom. De hade upprättat en banditarmé av missledda svarta. En dag skulle de återvända och ställa tillbaka Dom Joaquims statyer på torgen, de skulle återta rätten att bestämma vilka tankar som skulle tänkas och de medelålders revolutionärerna skulle tvingas att ännu en gång bege sig över den norra gränsen. I dessa, de vita människornas namn, begick banditerna fruktansvärda handlingar, och vi närde alla en stor rädsla för att de skulle vinna kriget.

Det var först samma år som jag träffade Nelio som kriget upphörde, ett fredsavtal undertecknades och banditledaren kom till staden och omfamnades av presidenten. De vita hade då redan återkommit. Men det var andra vita, de kom från länder med egendomliga namn, och de kom inte för att jaga oss tillbaka till teplantagerna och fruktodlingarna, utan de hade kommit för att hjälpa oss att återställa allt som brutits ner av kriget. Många av dem handlade bröd hos Dona Esmeralda. Vi visste att vårt bröd var bra. Om något en dag misslyckades med brödet stängde Dona Esmeralda omedelbart bageriet och öppnade inte förrän brödet hade återfått sin tidigare kvalitet.

Jag hade snart lärt mig att trivas hos Dona Esmeralda, även om hon kunde vara nyckfull och lynnig, och sällan hade pengar att betala löner när den sista dagen i månaden hade kommit. Inte minst var närheten till teatern något som gav ett innehåll åt mitt liv som var nytt och fullt av besynnerliga upplevelser. Dona Esmeralda hade kort tid efter den legendariska premiären upprättat en ensemble som inte skulle göra något annat än att spela teater. Bara det var i mångas ögon en förargelseväckande överdrift från hennes sida. Menade hon att människor skulle ha betalt för att stå på en teaterscen några kvällar i veckan? Kunde teater vara något annat än ett fritidsnöje? Dona Esmeralda försvarade naturligtvis passionerat sin strävan, och hon samlade kring sig de människor som ansågs vara de duktigaste skådespelarna i landet. På dagarna repeterade de sina nya pjäser och på kvällarna spelade de sina föreställningar.

Det fanns en vindlande trappa som ledde från bageriet till teaterns tak. Strax under takplåtarna kunde man krypa genom ett schakt som en gång hade använts till de väldiga luftkonditioneringsmaskinerna. Genom en lucka kunde man sedan ta sig ner i det rum där det stod, likt ett förhistoriskt djur, en gammal filmprojektor. Genom gluggarna i väggen kunde man följa det som skedde på den upplysta scenen. Dona Esmeralda visste att bagarna när de hade tid brukade följa repetitionerna, och hon hade uppmuntrat oss att göra det, och sedan berätta för henne vad vi tyckte om det vi hade sett. Ofta sa hon också åt oss att vi, om vi var tysta, kunde få lov att sitta på den övre läktaren, när en ny föreställning var så färdig att den spelades rakt igenom.

Jag som är bagare, och först vid femton års ålder lärde mig läsa, tack vare de gamla tidningarna och mäster Fernandos envisa kamp mot min lättja, kan naturligtvis inte uttala mig om den teater som Dona Esmeralda och hennes skådespelare skapade. Ändå tror jag mig ha förstått att många av de unga skådespelarna var duktiga, åtminstone trodde vi från bageriet på det de gjorde, på de personer eller djur de framställde, och vi skrattade ofta. Men jag tror mig också kunna säga att Dona Esmeralda inte var någon bra pjäsförfattare. Ofta kröp vi genom schaktet och hörde hur Dona Esmeralda och skådespelarna grälade. Skådespelarna förstod inte vad hon menade med sin pjäs och Dona Esmeralda var arg för att hon inte lyckades vare sig förklara eller övertyga skådespelarna om vad hon ville. Det kunde vara fruktansvärda uppträden, som om repetitionerna var dramatiska uppföranden i sig själva. Men det slutade alltid med att det blev som Dona Esmeralda ville. Det var hon som betalade skådespelarnas löner, det var hon som hade den största uthålligheten. För oss som arbetade i bageriet var det som om vi hade ett privilegium, som åtminstone delvis kompenserade de löner som ibland uteblev helt eller kraftigt försenades, att ha denna möjlighet att se in i de världar som oavbrutet skapades och utplånades på den teaterscen Dona Esmeralda hade återerövrat från de stinkande kloakerna.

Det fanns ögonblick av stor magi på den lilla scenen, upplyst av de ålderdomliga strålkastarna som ibland slocknade med kraftiga smällar. Jag kan ännu se hur andar svävade över scenen, i form av gula tygblommor, som Dona Esmeralda själv strödde ut, hängande bland de livsfarligt nerruttnade lingångarna i scenhusets tak. Jag minns med rysningar slavskeppen med sina stönande laster som gled fram över scenen, vita fladdrande segel av hopsydda gamla lakan och mjölsäckar, och ett ankare som tycktes kunna väga tusen kilo trots att det bara var fuktat papper uppspänt på en ställning av hönsnät. Skådespelarna vandrade genom tid och rum med Dona Esmeraldas obegripliga pjäser som vägledare. Vi vitklädda bagare klättrade i takschaktet eller satt på tidningar, för att inte smutsa ner stolarna, på den övre läktaren, och när vi skrattade var det en signal som för Dona Esmeralda betydde att en föreställning var klar och att det nu var dags att öppna biljettkassan och annonsera en ny premiär.

I hemlighet älskade vi alla den unga och vackra Eliza, Dona Esmeraldas stora stjärna, som bara var sexton år, men som förhäxade alla med sin självklara naturlighet på scenen, vare sig hon spelade en cynisk, hårt sminkad *puta*, i någon av Dona Esmeraldas mer realistiska pjäser, eller en kvinna som poetiskt balanserade ett vattenämbar på sitt huvud vid någon imaginär flod vars osynliga vatten strömmade över scenen. Alla vi bagare älskade henne, och vi sörjde djupt och länge, när hon en dag inte längre fanns kvar på teatern. En utländsk ambassadtjänsteman som en kväll hade besökt teatern hade sedan återkommit under tjugotre föreställningar på rad, därefter friat till Eliza och nu hade de rest till ett land på andra sidan havet. Den gången undrade jag ofta vad Dona Esmeralda upplevde i det ögonblicket, om hon kände sig sviken och sorgsen, eller om hon var full av vrede. Hon sa aldrig någonting.

Några månader senare hade hon hittat Marguerida som snart hade fått minnet av Eliza att förblekna. Teaterns värld var en värld som aldrig tycktes kunna gå under.

För mig, José Antonio Maria Vaz, innebar det ett nytt liv när jag trädde inför Dona Esmeraldas ögon och fann nåd och arbete. Jag kunde efteråt tänka att om min far inte hade gjort annat än pratat i hela sitt liv, så hade han ändå haft rätt om mina händer. Jag var verkligen bagare, jag hade hamnat på rätt plats i livet, den som alla söker men som så få verkligen finner. Jag fick vänner bland de andra bagarna och de retsamma flickorna som stod bakom disken och sålde det färska och väldoftande brödet. Jag lärde känna alla de människor som levde runt teatern, på den breda avenyn som ledde rakt genom staden, mot den gamla fästningen, där Dom Joaquims ryttarstatyer stod övergivna. Inte minst blev jag vän med alla de gatubarn som bodde i pappkartonger och i rostiga bilar, och som levde av vad de hittade i soptunnorna, vad de lyckades stjäla och sedan sälja, eller sälja och sedan stjäla tillbaka.

Det var också då jag första gången hörde talas om Nelio.

Vem det var som nämnde hans namn kan jag inte längre påminna mig. Kanske var det Sebastiao, den gamle soldaten som saknade sitt ena ben och bodde i trappuppgången till den ständigt like sorgsne indiske fotografen Abu Cassamos atelјé på andra sidan kaféet som ägdes av den ständigt berusade senhor Leopoldo, en av de vita som aldrig hade deltagit i den stora flykten och återvänt till sitt hemland på andra sidan havet. Han underhöll de fåtaliga kunder som sökte sig till hans smutsiga kafé med oavbrutna förbannelser över hur allt gått illa sedan de unga revolutionärerna hade gjort sitt intåg i staden och tagit makten.

– Alla skrattar, brukade han säga. Men vad är det de skrattar åt? Att allt går åt helvete? Gråta borde de, negrerna. Annat var det då, den gången, innan...

Det kan ha varit någon av dem. Men det kan också ha varit någon annan, kanske en tillfällig kund i butiken som handlade bröd. Det jag minns alldeles klart är hur orden föll, de ord som innebar att jag för första gången insåg att det fanns ett märkligt gatubarn som hette Nelio.

– Presidenten borde göra honom till sin rådgivare. Han är den klokaste människan som finns i vårt land.

Några dagar senare pekade en av flickorna som sålde bröd ut honom, jag tror det var den lilla tunna Dinoka, som alltid vaggade så förföriskt med ändan när det fanns en man i närheten. Hon pekade på en grupp gatubarn som hade sitt högkvarter strax utanför teatern. Den pojke som skulle vara Nelio var den minsta av dem alla. Kanske var han nio år den gången.

– Han har aldrig fått stryk, sa Dinoka beundrande. Tänk dig det, ett gatubarn som aldrig har fått stryk.

Gatubarnens liv var hårt. När de väl hade hamnat på gatan fanns oftast ingen återvändo. De levde i smutsen, sov i sina pappkartonger och de rostiga bilarna, plockade mat där de kunde finna någon, drack vatten ur de spruckna fontänerna som ännu hade överlevt från Dom Joaquims tid. När det regnade brukade de sparka upp smuts på bilarna som stod parkerade utanför bankerna och sedan oskuldsfullt åta sig att tvätta dem när ägarna kom ut för att dricka sitt eftermiddagskaffe på Scala eller Continental. De stal när de hade möjlighet, de bar mjölsäckar åt Dona Esmeralda mot att de fick gammalt bröd, och de visste att livet aldrig skulle bli lättare.

De olika grupperna av gatubarn hade sina avgränsade revir, och de organiserade sitt liv i små diktaturer där ledaren hade en oinskränkt makt att döma och utöva straff. Ofta råkade de i slagsmål med varandra, med andra grupper som trängde in på deras territorium, med polisen som alltid misstänkte dem för att ha stulit det som inte gick att återfinna. De jagade de vilda hundarna, de fångade råttor i sinnrikt konstruerade burar, som de senare dränkte in med bensin som de tappade ur bilar, och de jublade när råttorna brann.

Alla kom från olika håll och alla hade sin egen historia. Några hade mist sina föräldrar i det långa kriget, andra hade inga minnen av att någonsin ha haft några föräldrar. Många flydde från styvföräldrar, andra hade blivit regelrätt utkastade hemifrån när det inte fanns plats eller mat för dem längre.

Men hela tiden skrattade de. Jag kunde ibland stå ute på gatan, när hettan i bageriet var alltför stark, och brödet ännu inte skulle dras fram ur ugnarna, och se på dem, och de skrattade alltid, även om de var hungriga, trötta eller sjuka. De skrattade oavbrutet, inte minst åt den berusade Leopoldos ilska. Ibland kom han utrusande på gatan från sitt kafé, när han tyckte att de förde alltför mycket oväsen, och kastade tomma ölburkar efter dem trots att han visste att de dagen efter skulle ligga prydligt uppradade utanför kafédörren och vålla honom stort besvär när han skulle öppna.

Många var historierna om Nelio. Om hans listighet och förslagenhet, om hans förmåga att skipa rättvisa och inte minst om hur han undvek att få stryk. Jag hörde också rykten om att han skulle besitta magiska krafter, att han bar på anden från en avdöd *curandeiro* som i tidernas begynnelse, när staden ännu knappast hade funnits, hade utövat sin makt över de människor som levde vid den breda flodmynningen.

Jag visste alltså att han fanns. Jag hade förstått att han var märklig.

Men jag hade aldrig talat med honom. Inte före den där natten när jag var ensam i bageriet och plötsligt hörde de skarpa smällarna inifrån den tomma teatern. Jag sprang uppför vindeltrappan och smög ut på den övre läktaren. Till min förvåning upptäckte jag att strålkastarna på scenen var påslagna, där fanns också en dekoration som jag inte hade sett tidigare.

Och mitt i ljuset låg Nelio. Blodet rann från hans kropp, det blev nästan svart mot hans vita skjorta av indisk bomull. Jag stod där i mörkret med bultande hjärta och försökte tänka. Vem hade skjutit honom? Varför låg han på scenen mitt i natten, badande i strålkastarljus och blod? Jag lyssnade efter ljud, men allt var mycket stilla.

Sedan hörde jag att han rosslade där han låg på scenen. Jag trevade mig nerför de mörka trapporna, hela tiden rädd för att någon skulle dyka upp ur mörkret och rikta ett vapen även mot mig. När jag till sist nådde scenen och föll på knä vid hans sida trodde jag att han redan var död. Men som om han hade hört mig slog han upp ögonen, de var fortfarande klara, trots att han hade förlorat mycket blod.

– Jag ska skaffa hjälp, sa jag.

Han skakade svagt på huvudet.

– Bär upp mig på taket, sa han. Jag behöver ingenting annat än luft.

Jag tog av mig mitt vita förkläde, slog av mjöldammet och rev det i strimlor. Därefter gjorde jag ett förband över hans bröstkorg där han hade blivit träffad, lyfte upp honom och bar honom upp för den trånga trappan som ledde till taket. Jag hade en madrass liggande där, som jag hade hittat en morgon vid en av soptunnorna utanför bageriet. Där la jag ner honom. Jag lutade mitt ansikte tätt intill hans mun för att känna efter om han fortfarande andades. När jag var säker på att han fortfarande levde, skyndade jag mig ner till ugnarna, hämtade vatten och en lampa och återvände till taket.

– Jag måste skaffa hjälp, sa jag igen. Här kan du inte ligga.

Återigen skakade han på huvudet.

– Jag vill stanna här, sa han. Jag dör inte. Inte än.

Hans röst var så bestämd att jag inte kom mig för att protestera, även om jag innerst inne visste att det han först av allt behövde var en läkare.

Han vred på huvudet och såg på mig.

– Här är svalt, sa han. Här vill jag stanna.

Jag hade satt mig vid sidan av honom. Då och då gav jag honom vatten att fukta sina läppar med. Eftersom han var skjuten i bröstet vågade jag inte låta honom dricka.

Det var den första natten.

Jag satt vid hans sida på madrassen. Då och då, när han tycktes sova, gick jag ner till ugnarna och såg till att brödet inte brändes vid.

När det ännu var långt till gryningen slog han åter upp ögonen. Blodet hade då slutat rinna, bandaget över hans magra bröstkorg hade stelnat.

– Stillheten, sa han. Här vågar jag släppa mina andar fria.

Jag visste inte vad jag skulle svara. Orden var märkliga eftersom de kom från en pojke som bara var tio år gammal.

Vad menade han?

Långt senare skulle jag komma att förstå.

Det var allt han sa.

Resten av natten, den första natten, var han tyst.

Den andra natten

Jag har ibland undrat över varför soluppgången väcker ett sådant vemod i min själ. Ofta har jag stått på taket efter en lång natt i bageriet där hettan ibland kan vara så stark att det kan kännas som om om jag är på väg att drivas till vanvett. I den tidiga gryningen, när staden just är på väg att vakna, har jag känt svalkan i morgonbrisen från Indiska oceanen, sett solen stiga som ett väldigt klot ur havet, och känt ett tungt vemod i min trötta hjärna.

Kanske vemodet är en hälsning från de andar som bekymrar sig även för en enkel bagare? En påminnelse om förgängelsen som väntar även på mig?

Men just den morgonen, den andra dagen, när Nelio redan hade legat på den smutsiga madrassen i många timmar, hade jag inte tid att tänka på andarna. I vanliga fall tvättade jag av mig dammet och svetten från den långa natten i bageriet vid en vattenpump på baksidan av teatern, där dess två snickare redan var igång med att tillverka kulisser till Dona Esmeraldas föreställningar. Sedan brukade jag gå hem genom staden, som då på morgnarna ännu luktade friskt, hem till det hus jag delade med en av mina bröder, Augustinho och hans familj, i en *bairro* som klättrade längs en av högsta branterna vid flodmynningen. Men den här morgonen stannade jag. Det var inte alldeles ovanligt, eftersom det hände att jag ibland låg kvar och sov i skuggan av det träd som många år tidigare hade slagit rot mellan teatern och den indiske fotografens butik.

Jag var också den ende som någonsin gick upp på taket. Jag hade bevarat den nästan osynliga förlängningen av vindeltrappan och den rostiga plåtdörren som min egen hemlighet. Jag är inte ens säker på att Dona Esmeralda visste om att den fanns. Jag tror aldrig hon hade satt sin fot på taket. Om det var något som inte intresserade henne i livet så var det en utsikt, hur hänförande den än var.

Den här morgonen, när Nelio låg där uppe på taket, med sin flämtande andhämtning, kunde jag inte gå hem. Jag måste stanna kvar. Jag tvättade hastigt av mig vid pumpen och gick sedan till fru Muwulene som bodde i ett garage bakom domstolen som låg några kvarter från teatern. Fru Muwulene hade varit en beryktad *feticheira*, den gång de vita kolonisatörerna bara valhänt och med en ständigt ökande uppgivenhet hade försökt förbjuda det de föraktfullt betraktade som vår primitiva vidskeplighet. De vita hade aldrig förstått andarnas betydelse för en människas liv. De hade aldrig förstått nödvändigheten av att hålla sig väl med förfädernas själar, de hade aldrig begripit att en människas liv är en ständig kamp för att hålla andarna på gott humör. Sannolikt var det därför de vita till sist förlorade kriget och tvingades lämna tillbaka vårt land. De var de kränkta andarna som vann kriget, inte i första hand de unga revolutionärerna.

Men till fru Muwulenes och alla vi andras förvåning var de unga revolutionärerna ännu starkare i sitt fördömande av vår vana att tillbe andarna och inrätta våra liv i enlighet med deras önskningar. Fru Muwulene hade den gången varit en *feticheira* som använde sig av ormar för att uttala sig om framtiden och människors hälsotillstånd. Hon hade den gången levt på den ö som ligger utanför staden, och som man kan se från bageriets tak vid klart väder. Vid ett stort massmöte ute på ön hade den lokale politiske kommissarien, som sannolikt inte hade varit mer än sjutton år gammal, enligt centrala direktiv som utfärdats av de unga revolutionärerna, beordrat trollkarlarna och medicinkvinnorna, inklusive fru Muwulene, att omedelbart avsvära sig sina övernaturliga egenskaper, och istället genomgå en grundläggande sjukvårdsutbildning. I annat fall skulle de sättas i fängelse. Alla utom fru Muwulene föll genast till föga, eftersom den politiske kommissarien hade meddelat att fängelset skulle vara islagret till den fiskfabrik de vita hade övergett hals över huvud när de unga revolutionärerna övertog makten. Innan de hade gett sig iväg hade de förstört ismaskinerna. Stanken av ruttnad fisk låg kvar över ön i många år. Fru Muwulene hade dock inga tankar på att avsvära sig sin övernaturliga förmåga. Hon anlände till massmötet med ett antal ormar i en korg, och det hotfulla morrande som steg ur folkhopen när den politiske kommissarien skulle anhålla henne, gjorde att han genast avstod.

Senare hade fru Muwulene flyttat in till staden och etablerat sig med sina ormar i garaget bakom domstolen. Det hände att ormarna rymde och ringlade in i de rum där det pågick domstolsförhandlingar. Panik utbröt och förhandlingarna avbröts medan fru Muwulene kröp runt och samlade ihop ormarna som oftast gömde sig i de mörka hörnen bakom åklagarnas och advokaternas tunga bord av det svarta, järnliknande träslag som bara finns i vårt land.

Det var till fru Muwulene jag var på väg, och hon log med sin tandlösa mun när hon såg mig komma. Jag sa som det var, att jag behövde några örter som kunde bota en ung man som blivit skjuten genom bröstkorgen och därefter förlorat mycket blod. Fru Muwulene ställde aldrig några frågor om vad som hade hänt. Däremot ville hon veta om Nelio var vänsterhänt, om han hade blivit född på en söndag eller en dag när det hade blåst vindar från norr. Jag svarade som det var, att jag inte visste. Fru Muwulene suckade och beklagade sig över mitt dåligt förberedda besök och blandade sedan samman några krossade blad med en tunn genomskinlig vätska som hon hällde i en flaska som tidigare innehållit rakvatten. Jag betalade och skyndade mig tillbaka till bageriet. Enligt fru Muwulenes instruktioner blandade jag ut flaskans innehåll med vatten och gick upp på taket där Nelio låg. Han hade inte rört sig sedan jag lämnade honom, utan låg orörlig på madrassen. Jag tänkte hastigt att han nu var död. Men när jag gick ner på knä vid hans sida slog han upp ögonen och såg på mig.

Kan man se en döende människa tydligare än annars? Är det först i dödens närhet som en människas anletsdrag framträder som de verkligen är? Jag tänkte på det när jag gav honom den utblandade vätskan att dricka. Fortfarande var jag orolig för att det han drack skulle söka sig förbjudna vägar i hans sönderskjutna bröstkorg. Men jag insåg att jag måste ta risken, det fanns ingen annan möjlighet, så länge som han vägrade att låta mig hämta hjälp, eller dra honom på en släpkärra upp till sjukhuset som låg på en kulle, högst uppe i staden. När han hade druckit lutade jag hans huvud tillbaka mot madrassen igen. Han slöt ögonen efter ansträngningen och jag kunde se på honom, och tänkte att även alldeles svarta människor, han liksom jag, också kunde bli bleka. Jag kände på hans panna att han hade feber och jag hoppades att fru Muwulene hade blandat samman de bästa örter hon hade.

Nelio var tio år, kanske elva. Ändå hade jag en känsla av att det var en mycket gammal man som låg framför mig på madrassen. Kanske var det så att det hårda livet som gatubarn innebar ett annat åldrande än för oss vanliga människor? En hund som är femton år är redan mycket gammal. Kanske det också gällde för Nelio? Jag kunde inte svara på mina frågor, och jag tänkte med förtvivlan att han inom kort skulle vara död. Men snart kunde jag höra på hans andhämtning att han åter hade sjunkit ner i en djup sömn. Det verkade som om fru Muwulenes örter genast hade dämpat febern, hans panna kändes redan mindre het. Jag ställde mig och såg ut över staden medan jag åt upp en bit av det bröd jag bakat under natten.

Eftersom det ännu var tidigt på morgonen visste jag att teaterlokalen fortfarande skulle vara tom. Det var sällan skådespelarna kom för att börja repetera före klockan tio. Nelio sov, hans andhämtning var nu lugn, och jag gick nerför vindeltrappan och återvände till scenen, där det nattliga dramat hade utspelats. Den gamla städerskan Cashilda gick och slog med en trasa mot stolarna så dammet rök. Hon var så gammal att hon varken såg eller hörde. Vid några tillfällen hade det hänt att hon hade tagit fel på morgon och kväll och kommit in i salen under pågående föreställning och börjat slå på stolarna medan det satt publik i dem. När skådespelarna hade hört det ihållande smällandet och de ilskna protesterna nere från den mörka salen, hade de ögonblickligen avbrutit sitt spel, och någon av dem hade gått ner från scenen och förklarat för Cashilda att det nu var kväll, det var inte morgon, och att hon inte fick slå på stolarna när de satt människor som betalat inträde i dem. Sedan hade föreställningen kunnat återupptas igen. Salen var ständigt ostädad eftersom Cashilda var gammal och trött. Men Dona Esmeralda hade inte hjärta att avskeda henne. När jag nu kom ner i salen märkte hon inte min närvaro. Jag såg mot scenen och upptäckte att dekorationen som funnits där under natten nu var borta. Jag stirrade vantroget mot scenen. Kunde jag ha tagit miste? Nej, jag var säker. Det hade varken varit någon inbillning eller en dröm. Där hade funnits en dekor, en blå, ändlös himmel, ett landskap av böljande elefantgräs. Och nu var det borta. Där stod bara en ensam dörr som markering för den nya pjäs som Dona Esmeralda nyligen hade börjat repetera.

Varför hade Nelio legat där på scenen i strålkastarljuset? Vad var det som hade pågått i den tomma teatern under de nattliga timmarna? Vem var det som hade skjutit honom? Jag gick upp på scenen och kunde se den mörka fläcken av blod. Det var verkligt blod, inte en teatral illusion som hade dröjt sig kvar från någon tidigare föreställning.

Jag blev avbruten i mina tankar av att Cashilda plötsligt hade upptäckt mig med sina skumma ögon. Hon trodde att jag var en av skådespelarna och att repetitionerna redan hade börjat. Hon talade mycket högt eftersom hon var döv, och började ropa att hon bad om ursäkt för att hon ännu inte var färdig med städningen.

– Det gör inget, ropade jag tillbaka. Jag är inte skådespelare. Jag är bagare.

Men hon förstod inte vad jag sa. För henne var jag en morgontidig skådespelare. Jag lämnade scenen och återvände upp till taket. Nelio sov. Jag tänkte att jag borde lägga ett nytt bandage kring hans bröstkorg. Men jag ville inte röra honom, inte väcka honom. Jag satte mig i skuggan av en av skorstenarna och såg ut över staden. Avlägset nådde mig ljuden av alla de människor som ännu en dag ansträngde sig till det yttersta för att överleva.

Jag såg för mig alla de tusentals och åter tusentals människor som med sammanbitna tänder höll fast om den fåfänga drömmen att dagen idag trots allt skulle bli lite bättre än den dag som just hade gått. Men samtidigt ville jag att de skulle stanna upp och tänka: på Dona Esmeraldas tak ligger just nu ett gatubarn och dör.

Jag måste ha somnat där i skuggan av skorstenen. När jag vaknade var det redan sent på eftermiddagen. Jag satte mig upp med ett ryck och visste först inte var jag var. Jag hade drömt om min far, han hade oavbrutet pratat till mig, utan att jag kunde påminna mig ett enda ord av vad han hade sagt. Sedan kom jag ihåg vad det var som hade hänt och gick bort till madrassen där Nelio låg. Han sov, hans ansikte var mycket blekt, men hans andhämtning var fortfarande lugn och hans panna sval. Eftersom jag var hungrig lämnade jag taket och gick ner till den lilla gården på baksidan av bageriet där det finns ett tak av flätade palmblad. Där äter bagarna sina måltider, och kocken, Albano, hade fortfarande kvar av det kokta ris och de grönsaker som han serverat tidigare under dagen. När jag fick min tallrik och började äta insåg jag att jag var mycket hungrig. Om några timmar skulle jag börja arbeta igen, natten skulle bli lång och jag visste inte hur länge fru Muwulenes örter skulle kunna hålla febern nere.

Jag hade just ätit färdigt och skjutit tallriken ifrån mig när Albano, som är stor och tjock och ständigt luktar starkt av hemmagjort rakvatten, slog sig ner på bänken mitt emot mig och torkade svetten ur ansiktet med sitt smutsiga förkläde.

– Polisen har varit här, sa han.

Jag höll andan.

– Varför det?

Albano slog ut med armarna.

– Varför kommer polisen? sa han. För att ställa frågor, för att snoka, för att få tiden att gå.

Jag visste vad han menade. Ingen hade förtroende för polisen. De löste sällan några brottsfall, deras uppklarningsprocent måste vara i det närmaste obefintlig. Men däremot tog de gärna mutor och alla visste att berätta om hur de själva ofta lierade sig med tjuvar och delade på det beslagtagna bytet innan de med ett beklagande meddelade dem som blivit bestulna att tyvärr ingenting hade blivit återfunnet.

– Frågor om vad då? sa jag.

– Någon hörde skott eka i natten, sa Albano. Härifrån. Från bageriet eller teatern. Hörde du något?

Albano är en vän. Jag tycker om honom, inte bara den mat han lagar. Jag kunde ha sagt som det var. Jag hade kunnat behöva någon att dela Nelio med. Men ändå sa jag ingenting. Jag är fortfarande oklar över varför. Men jag tror att det berodde på att jag anade att Nelio inte hade velat det. När jag burit upp honom på taket hade han talat om tystnaden och stillheten, och jag hade tolkat det så att han ville vara ensam, med sina smärtor och de tankar som bara han själv kände till.

– Ingenting, svarade jag. Om någon hade avlossat ett vapen så skulle jag ha hört det.

– Det var också vad vi svarade, sa Albano.

– Trodde de er?

– Vem vet vad poliser tror, svarade Albano. Vem bryr sig överhuvudtaget om det?

För att byta samtalsämne bad jag honom packa in lite av det ris och de grönsaker som fanns kvar i tidningspapper, så att jag kunde ha något att äta under natten. Jag visste ju inte om Nelio kunde äta någonting. Men jag tänkte att ris och grönsaker var bättre än bröd. Albano gjorde som jag sa och jag gick ut i bageriet där flickorna som sålde bröd höll på att sopa rent på golvet och i brödhyllorna, medan de sista kunderna köpte det bröd som fortfarande fanns kvar. Jag gjorde mig i ordning för natten, talade med Julio, den unge pojken som var min degblandare, och sa till honom hur mycket mjöl han skulle hämta från lagret. Några timmar senare var vi ensamma, och strax före midnatt gick även Julio hem. Jag gjorde det första baket. När jag skjutit in bakplåtarna i ugnarna skyndade jag mig uppför vindeltrappan till taket. Nelio var vaken när jag kom.

Det var den andra natten han började berätta sin historia.

Någonstans nerifrån gatan, på baksidan av ett förfallet hus som låg intill teatern, stod i mörkret en kvinna och stötte majs inför morgondagen. Medan hon stötte med den tunga trästocken sjöng hon. Jag satt bredvid Nelio och vi lyssnade på hennes sång och stocken som regelbundet och oförtröttligt stötte och slog som ett hjärta.

– När jag hör stocken stöta mot majsen tänker jag på min mor, sa Nelio, och hans röst var oväntat stark. Jag tänker på henne och jag undrar om hon fortfarande lever.

Sedan berättade han om sin uppväxt, de ohyggliga händelser som hade slungat honom ut i en värld han inte alls kände till, om hur han första gången hade sett havet, och hur han till slut kommit till den här staden. Han talade inte oavbrutet. Då och då blev han för trött, febern återvände och han sjönk åter in i mörkret. Men han kom alltid tillbaka, det var som om han dök ner i ett hav och blev borta, för att till slut komma upp till ytan igen, men på ett helt annat ställe.

Strax före gryningen åt han också det ris och de grönsaker jag hade fått av Albano. Varje gång han sjönk ner i sin feber återvände jag till ugnarna och som om Nelio hade haft en hemlig överenskommelse med elden, inföll hans perioder av tystnad och feber alltid när jag behövde ta ut färdiggräddat bröd och skjuta in nya plåtar i ugnarna.

Det var den natten som han började berätta för mig om sitt liv. Ännu hade jag dock inte förstått hur hans historia på ett avgörande sätt skulle komma att förändra mitt liv.

Han hade växt upp i en by som hade legat långt bortom de stora slätterna, i en dalgång strax intill de höga berg som utgjorde gränsen till de områden där människorna talade andra, för oss obegripliga språk och även hade andra egendomliga vanor. Byn hade inte varit stor, hyddorna hade varit av soltorkad lera, en stolpe i mitten hade hållit upp taket som var tillverkat av flätad vass, som de hämtade från den närbelägna floden, där krokodiler lurade strax under vattenytan, och flodhästarna råmade om nätterna. Han hade växt upp med sina många syskon, sin mor Solange, och sin far Hermenegildo. Det hade varit en lycklig tid, han kunde inte påminna sig att han någonsin hade behövt gå hungrig till sin matta där han sov om nätterna och delade sin filt med flera av sina syskon. Det hade alltid funnits majs eller sorgum, tillsammans med sina syskon hade han lärt sig var bina gömde sin honung.

Hans far var frånvarande i långa tider, han visste att Hermenegildo arbetade i gruvorna i ett land långt borta, men han visste inte vad gruvor var, utom att de var ihåliga tomrum som sträckte sig djupt ner i underjorden. Där fanns gnistrande stenar som vita människor betalade honom för att hämta upp. När han kom hem hade han med sig presenter och till sig själv hade han alltid köpt en ny hatt. För Nelio var faderns hatt det första tecknet på att det fanns en omvärld där allting var mycket annorlunda. Han försökte föreställa sig hur han själv en gång skulle få uppleva det fantastiska ögonblicket av att sätta en hatt på sitt huvud, en hatt med breda brätten och en svettrem av läder inne i kullen.

Hans första minnen av sitt eget liv var hur hans far lyfte honom högt mot himlen för att låta honom hälsa på solen. De gånger Hermenegildo var hemma stod tiden stilla och världen var fullkomlig. När han åter hade gett sig av längs en av stigarna som ringlade längs floden, bort mot de höga bergen där det fanns en väg och kanske också en buss som kunde föra honom tillbaka till gruvorna, återgick livet till vad det varit innan. Så mindes han sina första år, som två olika tideräkningar, en tid och ett liv när fadern var hemma, och en helt annan när han var ensam med sin mor och sina syskon. När han var fem år hade han börjat vakta getterna med de andra pojkarna, han hade lärt sig att skjuta fåglar med en slangbella, och de invecklade tvekamper med käppar som alla pojkar i byn måste behärska. Vid ett tillfälle hade en leopard visat sig i närheten av byn, en annan gång hade ett lejon hörts ryta på avstånd. Varje morgon hade han vaknat av att hans mor stod utanför hyddan och stötte majs med den stock som var så tung att han inte orkade lyfta den. Och hon sjöng, som om hon hämtade kraft ur tonerna som kom ur hennes strupe.

Katastrofen hade kommit som ett osynligt rovdjur om natten.

Han hade sovit, det hade varit under den varmaste tiden av året, och han kunde fortfarande minnas att han hade legat naken på bastmattan, filten hade han kastat av sig, hans kropp hade varit våt av svett, och drömmarna oroliga av den pressande värmen.

Plötsligt hade världen exploderat, ett skarpt vitt sken hade slungat honom upp ur sömnen, någon hade skrikit, kanske var det någon av hans syskon, kanske hans mor. I det förtvivlade kaos som utbröt hade han blivit nertrampad, fortfarande hade han inte förstått vad som hade hänt, och han hade heller inte kunnat hitta sina byxor. Naken slungades han ut i katastrofen och han förstod till sist att det var banditerna som hade kommit smygande i mörkret, de hade kommit för att döda och röva och bränna. Anfallet hade pågått in i gryningen. Men hyddorna brann med ett så kraftigt sken att ingen hade märkt att solen hade gått upp. Plötsligt hade den bara varit där, byn var då nerbränd, många hade redan blivit ihjälslagna, sönderhuggna av machetes, sönderstuckna av skarpa stålrör, krossade av träklubbor.

Sedan hade allting blivit mycket stilla, han hade fortfarande inte kunnat hitta sina byxor, och han satt på huk bakom en korg där hans mor förvarade den majs de hade skördat några veckor innan. Stanken och svedan från de nerbrända hyddorna var mycket stark, det var en lukt han efteråt aldrig skulle glömma. Så luktade världen när den gick under i rök och brand och kaos. Sådan var stanken när människor slungades ut ur sina drömmar för att möta döden som kom med de trasigt klädda, *tontonto*-berusade, *soruma*-drogade banditerna. Det hade blivit mycket stilla, banditerna hade föst samman dem som fortfarande levde, kanske hälften av byborna, män, kvinnor, barn, på den öppna platsen mitt bland hyddorna där de brukade dansa och trumma när de hade sina fester. Nelio tystnade, som om orden blivit honom för svåra. Sedan såg han på mig och fortsatte sin berättelse.

– Det var också som om våra förfäders andar hade samlats där, de svävade oroligt omkring, som om de lika brutalt som vi hade jagats upp från sina osynliga viloplatser. Jag fortsatte att huka bakom den flätade korgen. Trots att jag förstod vad som hände var jag fortfarande mest rädd för att jag skulle vara utan byxor om någon av banditerna plötsligt såg mig och drog fram mig på den öppna platsen. Jag försökte göra mig osynlig med min rädsla som mantel och jag väntade på vad som skulle ske. Det var ett femtontal banditer. Jag kunde den gången inte räkna. Men det var ungefär dubbelt så många som getterna i en av de flockar jag brukade vakta, och de var oftast sju eller åtta. Banditerna var smutsiga och klädda i sämre kläder än dem vi hade. Några hade grova soldatkängor utan snören, andra var barfota. Några hade gevär och patronband som bälten, andra höll i långa knivar, yxor, machetes, klubbor. De var alla unga, några bara lite äldre än jag själv, och de som var yngst gömde sig i bakgrunden, krampaktigt hållande i sina vapen. Men även de unga hade blod på sina kläder, deras ansikten var blodiga, liksom deras händer och fötter.

Där fanns också en ledare, en man som var äldre än de andra, och han var den ende som hade en fläckig uniformsjacka och en sönderriven soldatmössa. När han öppnade munnen kunde jag se att han saknade många tänder, kanske hade han inga alls. Han var berusad som de andra, men han tycktes också berusad av den makt han nu hade över oss i byn, efter det att alla våra hus var brända, många av oss redan döda, och de som fortfarande levde uppfyllda av en stor rädsla. Då och då slog han med ena armen i luften, som om de oroliga andarna irriterade honom. Sedan började han tala, med en skrikande röst, nästan som en av de fåglar som brukade sväva över floden där kvinnorna hämtade vatten. Han talade samma språk som vi, även om där fanns en brytning, som sa mig att han kom från en plats närmare de höga bergen. Han sa att de hade kommit för att befria oss. De hade kommit för att befria oss från det parti och den regering som nu härskade över oss, de unga revolutionärernas parti. Om vi vägrade att låta oss befrias skulle han döda oss alla. De hade bränt vår by och dödat många människor för att visa att de menade allvar med sin strävan att befria oss och hjälpa oss till ett bättre liv. Nu ville de ha mat och de skulle behöva hjälp med att bära den bort från byn. Jag tänkte med fruktan på den korg jag gömde mig bakom. Där fanns majsen. När de lyfte upp korgen skulle de hitta mig. Jag försökte göra mig ännu mer osynlig. Med tårna började jag gräva i sanden, som om jag ännu hade tid att göra en grop som jag kunde försvinna i. Samtidigt försökte jag återfinna min far bland dem som stod sammanfösta som boskap på den öppna platsen, festplatsen som nu hade blivit som en kyrkogård, omgivna av de trasiga männen med de simmiga ögonen och de många blodiga vapnen. Jag såg honom inte och jag tänkte att han kanske gömde sig, på samma sätt som jag, kanske bakom en av de nerbrända hyddorna. Mannen som var banditernas ledare fortsatte att tala. Han sa att de inte bara hade kommit för att befria oss, en del av oss skulle också få möjligheten att följa dem på deras fortsatta färd, mot andra byar som också skulle befrias. Vid de orden blev alla de som stod sammanfösta oroliga, började klaga, och gråta.

Det var då jag upptäckte min mor. Hon stod inklämd bakom de andra kvinnorna. På ryggen bar hon min syster som hade fötts några veckor tidigare. Hennes i vanliga fall så vackra ansikte var förvridet av samma ängslan som fanns hos de andra kvinnorna. Samtidigt sökte hon oroligt med blicken efter någon hon inte kunde finna. Plötsligt insåg jag att det var mig hon tittade efter. I det ögonblicket förstod jag, bortom allt jag tidigare hade upplevt, vad det betyder att ha en mor och att jag skulle komma att förlora henne, på samma sätt som jag kanske redan hade förlorat min far.

Banditerna blev plötsligt oroliga. De började slå omkring sig, sparkade undan de gamla männen och kvinnorna, högg några av de pojkar som var äldre än jag i nackarna och skrek åt dem att samla ihop getterna. Sedan började de ordna alla som stod sammanfösta på en lång rad, oron och jämmern ökade, och utan att jag först märkte det hade jag själv börjat gråta. Några av de yngre kvinnorna föstes åt sidan, de rev och slet i sina kläder när de insåg att de skulle tvingas att följa banditerna som fångar när de lämnade byn.

I det ögonblicket skedde något ohyggligt. En av männen som såg sin hustru föras bort hade mod nog att stiga ut ur ledet och säga att han inte tillät att de tog hans kvinna ifrån honom. Jag såg vem det var, Alfredo, min fars kusin, en man som var en duktig fiskare och aldrig sa ett ont ord om en enda människa. Nu visade han upp det mod han inte visste att han hade, trädde ut ur ledet som om han trädde ut i ett annat liv, och ställde sig upp för att försvara sin vettskrämda hustru. I det ögonblicket försvarade han oss alla, inte bara sin egen och sin hustrus heder. Det var som om han med sin handling angrep allas vår rädsla. Ledaren för banditerna glodde oförstående på honom. Sedan gav han en order till en av de yngsta av de pojkar som följde honom. Utan att tveka steg pojken som kanske var tretton år gammal fram och högg huvudet av Alfredo med en yxa. Huvudet rullade i sanden och färgade den röd, kroppen föll med blodet sprutande ur halsen. Det hela hade gått så fort att ingen först förstod vad som hade hänt.

Mitt i tystnaden började pojken skratta. Han torkade av sin yxa mot sin jacka. Och han skrattade.

Det var då jag förstod att också han var rädd. En osynlig yxa vilade hela tiden även mot hans nacke.

Ett våldsamt ylande och jämrande steg ur de skräckslagna människor som var mina vänner, mina grannar, mina släktingar. Jag såg min mor pressa händerna för sina ögon och jag hatade mig själv för att jag var så liten, för att jag var så rädd och för att jag inte kunde hjälpa henne. Banditerna hade nu själva börjat bli oroliga, de skrek och slog omkring sig, samlade samman den mat de hittade, utan att de av någon egendomlig anledning såg korgen med majs som jag gömde mig bakom, och började sedan dra med sig en del av de yngre kvinnorna. Till min förfäran märkte jag att de också började slita i min mor, hon var ännu ung och de ville ha henne med sig. Hon skrek och ropade min fars namn, de slog henne, men hon fortsatte att göra motstånd. Det var då jag inte kunde ligga gömd bakom majskorgen längre. Jag var fortfarande utan byxor. Men jag såg hur de försökte ta min mor ifrån mig och det var något som inte fick ske. Jag reste mig upp, sprang naken över sandplanen där Alfredos huvud redan var omgivet av en svärm med gröna flugor, och tog ett kraftigt tag i min mors *capulana*. Banditledaren som tycktes vara speciellt intresserad av min mor såg undrande på mig. Sedan insåg han att jag var hennes son. Alla brukade säga att vi var mycket lika varandra. Plötsligt ryckte han loss min lillasyster från min mors rygg, där hon hängde fastbunden på samma sätt som jag en gång hade gjort. Han gick bort mot en stor mortel där kvinnorna brukade stöta majs och stoppade ner min syster. Sedan tog han upp den tunga stocken och räckte den till min mor.

– Jag är hungrig, sa han. Krossa nu majsen och det som finns i morteln så vi kan få mat.

Min mor försökte komma fram till morteln. Hon skrek och slogs men han höll henne ifrån sig. Till sist slog han till henne så hon föll mot marken och högg mig samtidigt i ena armen.

– Du får välja, ropade han till min mor. När han ropade fick hans röst ett egendomligt väsande tonfall, nästan som ett djur, eftersom han saknade tänder i munnen.

– Jag nackar den här kycklingen, fortsatte han. Jag nackar honom om jag inte får mat.

Min mor låg på marken och skrek. Hon försökte krypa fram mot morteln där min syster låg nertryckt. Jag märkte att jag kissade på mig av rädsla, ondskan som höll i mig var så stor och obegriplig att jag bara ville dö. Jag ville att jag skulle dö, min mor skulle dö, och min syster skulle få leva. Någon måste lyfta upp henne och binda henne på sin rygg. Någon av min mors systrar som också var hennes mödrar skulle återföra henne till livet. Ingen skulle behöva dö, krossad av en stock i en majsmortel. Ett sådant offer kunde döden aldrig vara värd.

Plötsligt var det som om mannen utan tänder gav upp. Han ropade några korthuggna order till dem som väntade. De började fösa med sig getterna och kvinnorna och de halvvuxna pojkarna som bar den mat de hade hittat i byn på sina huvuden. De drog även med sig mig och min mor, som in i det sista försökte slita sig lös och hämta min syster som nu hade börjat skrika nere i morteln.

Han måste ha hört det, hennes svaga skrik nerifrån morteln. För plötsligt tog han upp stocken som låg på marken, alldeles intill Alfredos huvud. Han såg på den, som om han först inte förstod varför han höll i den.

Sedan lyfte han den, mannen utan tänder, som hade kommit med sina män som rovdjur om natten, och dödat oss i befrielsens namn, och stötte den i morteln tills min syster slutade att skrika.

Min mor hörde hur skriken upphörde. Hon vände sig om och såg vad som skedde, hur mannen utan tänder en sista gång stötte till, och hur allt sedan var mycket tyst.

I det ögonblicket var det som om världen dog. Trots att många av oss fortfarande levde, var vi ändå döda. Även andarna, som oroligt svävat omkring, föll som ett regn av små döda och kalla stenar mot marken.

Jag minns mycket lite av det som sedan följde. Min mor som hade svimmat bars och släpades med av banditerna. Jag som fortfarande var naken fick min kropp söndersliten av de stickande törnrissnår vi passerade på vår väg bort mot ett mål som ingen av oss visste var det låg. Jag tänkte att vi gick där som vålnader, genom ett landskap som inte längre levde, ett antal människor som var döda, banditer som var döda, och andades en luft som också den var död. Det fanns inget liv längre, det hade tagit slut när min syster hade upphört att skrika. Floden som ibland skymtade genom snåren var död, vattnet var dött, solen som brände mot himlen var död, våra trötta steg var döda. Vi var en karavan av döda som hade lämnat livet bakom oss. Vi var på väg mot ett evigt ingenting. Vi gick när det var mörkt och vi gick när det var tidig gryning. Framför oss rörde sig spejare som mannen utan tänder hade skickat ut. När de upptäckte människor i närheten tog vi långa omvägar. Om dagarna väntade vi på mörkret i skydd av en dunge med tätt sammanvuxna träd.

Banditerna hade då redan börjat dela upp kvinnorna emellan sig. Men min mor brydde de sig inte om. Hon grät hela tiden och hon slutade inte ens när de sparkade och slog henne. Jag försökte hela tiden vara i hennes närhet. Några byxor hade jag ännu inte. Men en av de andra kvinnorna hade rivit av en bit av sin *capulana* som jag hade kunnat vira runt kroppen. Banditerna tvingade kvinnorna att laga mat som de sedan åt, utan att dela med sig till oss. När de hade ätit brukade de släpa med sig kvinnorna bakom några buskar och när de kom tillbaka var kvinnornas kläder sönderslitna och i oordning och jag kunde se att de skämdes. Banditerna drack hela tiden ur sina dunkar med *tontonto*. Ibland började de slåss. Men oftast sov de när mannen utan tänder inte sände ut dem för att spana eller att vakta.

Vi släpade oss fram i ett landskap som tycktes övergivet av allt som var levande. Där fanns inte ens några fåglar. På solen kunde jag se att vi först var på väg norrut, sedan en dag svängde av mot öster. Men fortfarande visste ingen av oss vart vi var på väg. Vi hade inte lov att tala med varandra, bara svara på de frågor som någon av banditerna riktade mot oss. Jag såg på de pojkar som bara var några år äldre än jag. Trots att de var unga, knappast ens fullt utvuxna, betedde de sig som om de hade varit mycket gamla män. Ofta satt jag i smyg och såg på den pojke som med sin yxa hade huggit huvudet av Alfredo. Jag tänkte på hur han skrattat av den rädsla som uppfyllde honom. Jag undrade hur hans ande en gång skulle tas emot av de döda, av hans förfäder. Jag tänkte att de skulle straffa honom. Jag kunde inte förstå annat än att också andar straffar varandra för de brott de har begått när de varit levande.

Sent en kväll nådde vi upp på en högplatå. Under flera dagar hade stigen vi följde blivit allt brantare. När vi kom fram fanns redan andra banditer där, några dåligt byggda hyddor, flammande eldar och mycket vapen. Vi förstod att vi hade kommit till en av de baser som banditerna gömde på otillgängliga ställen, och som de unga revolutionärerna bara sällan lyckades spåra. Från den första kvällen där minns jag inte annat än att vi var mycket trötta. Min mor hade då slutat gråta, hon hade också upphört att tala, och jag tänkte att hennes hjärta hade förlamats av sorgen efter alla dem som blivit kvar i den brända byn. Vi föstes in i en hydda av banditerna. Efteråt låg jag länge på det hårda jordgolvet i mörkret och hörde hur banditerna drack sig berusade på palmvin, hur de ibland grälade och ibland sjöng oanständiga sånger eller förbannade de unga revolutionärerna. Jag hade svårt att somna eftersom jag var mycket hungrig. Det kändes som om jag hade ilskna djur som oavbrutet bet i min mage, små hål där alla mina krafter långsamt sipprade ut, som de sista vattendropparna i en nästan uttorkad flod. Till sist måste jag ändå ha somnat.

När det åter var morgon vaknade jag ur en djup sömn. Vi föstes ut ur hyddorna och jag såg att banditerna hade satt sig i en cirkel, som om de förberedde ett rådslag. Jag förstod genast att mannen utan tänder inte längre var den som bestämde, där fanns en annan man, han var kort till växten, med smala, hopknipna ögon, som tycktes vara den som nu ledde banditerna. Vi föstes in i mitten av cirkeln och fick order att sätta oss ner. Dagen var mycket kvav, på avstånd tornade svarta moln upp sig till jättelika skuggor som säkert innehöll mycket regn. Mannen med de hopknipna ögonen hade en uniform som var både hel och ren. Han ställde sig framför oss och hälsade oss välkomna till denna platå som han sa var ett befriat område. Han förklarade att det var här vi skulle leva från och med nu. Vi skulle på olika sätt delta i kriget mot de unga revolutionärerna, vi skulle vara beredda att offra våra liv om det behövdes, och vi skulle alla lyda de order vi fick, om vi ville fortsätta att leva. Därefter fick vi mat och vatten att dricka. Trots att vi alla var mycket hungriga var det ingen som åt annat än ytterst lite. Fortfarande var vi behärskade av en så stor rädsla att våra magar hade krympt samman, som om också de hade försökt göra sig osynliga. Efteråt fick alla pojkar, även jag, besked om att vi skulle följa med mannen med de smala ögonen och några av banditerna som alla bar vapen. Min mor försökte hålla mig kvar, hennes hand var som en klo runt min arm, men jag såg på henne och sa att det var bäst att jag följde med. Jag skulle säkert komma tillbaka. Om jag stannade nu skulle de kanske slå ihjäl mig. Jag reste mig och följde med de andra.

Det var sista gången jag såg min mor. Hennes hand som så ofta hade strukit över min panna, hade huggit som en klo runt min arm. Hennes naglar hade grävt så djupt i min hud att jag började blöda. Hennes fingrar hade talat till mig. Så rädd var hon för att hon skulle förlora även mig.

Jag reste mig upp och såg mig inte om.

Vi följde en stig tills vi kom till en liten ravin som skar som en spricka rakt igenom högplatån. Där stannade vi, vi var lika många pojkar som fingrarna på mina händer, och jag var den yngste. De andra var mina vänner, mina bröder, mina lekkamrater.

Efteråt skedde allting mycket fort. Mannen med de smala ögonen kom plötsligt fram till mig och gav mig ett gevär som var mycket tungt. Sedan sa han åt mig att jag skulle lägga mitt pekfinger runt avtryckaren och skjuta den pojke som stod framför mig. Trots att jag inte förstod vad han menade fylldes jag på nytt av en stor fruktan.

– Om du vill leva måste du skjuta honom, upprepade mannen med de smala ögonen. Om du inte skjuter är du ingen man. Då kommer du inte att få leva längre.

– Jag kan inte skjuta min bror, sa jag. Jag är heller ingen man. Jag är ännu bara ett barn.

Det var som om han inte hade hört vad jag sa.

– Skjut honom om du vill leva, sa han bara. Skjut honom.

Pojken som stod framför mig hette Tiko. Han var son till en av min fars bröder och vi hade ofta lekt tillsammans, trots att han var flera år äldre än jag. Nu stod han framför mig och han grät. Jag såg på honom och jag visste att jag aldrig skulle kunna skjuta honom. Inte ens för att rädda mitt eget liv. Jag förstod att mannen med de smala ögonen menade allvar. Han skulle döda mig, kanske med sina egna händer, om jag inte gjorde som han sa.

I det ögonblicket blev jag vuxen, trots att jag ännu bara var ett barn. Jag fattade ett beslut som med all säkerhet skulle innebära att jag dog. Men om jag inte gjorde det jag visste att jag måste, skulle mitt liv förlora all sin mening. Jag kunde inte skjuta min bror.

Jag tänkte på min syster som hade dödats i morteln. Jag ville att hon skulle finnas i mitt huvud när jag dog. Jag visste ju att vi snart skulle träffas när också jag hade blivit ihjälslagen.

Jag grep om avtryckaren med mitt pekfinger, riktade hastigt gevärsmynningen mot mannen med de smala ögonen, och tryckte av. Skottet träffade honom mitt i bröstet och han slungades omkull mot marken. Jag kan fortfarande minnas hans förvånade ansiktsuttryck innan han dog. Jag kastade sedan geväret ifrån mig och sprang så fort jag kunde mot den stig från vilken vi hade kommit.

Hela tiden väntade jag på att någon skulle skjuta mig i ryggen, hela tiden såg jag min syster framför mig inne i huvudet, och jag sprang så fort att mina nakna fötter bara snuddade mot den steniga marken. Det var egentligen inte jag som sprang, det var livet i mig som sprang, och jag visste att de snart skulle hinna upp mig och att jag då skulle dö. Jag har senare lärt att det finns ögonblick i livet då man bara är det man gör. Den gången var jag ett par fötter och ben som sprang, ingenting annat.

Jag kom till ett ställe där stigen delade sig, och jag sprang till vänster trots att det inte var på den stigen vi hade kommit. Jag nådde ett stup där jag inte kunde komma längre. Då fortsatte jag där det inte längre fanns någon stig, följde den branta stupkanten tills den började slutta neråt och det var möjligt för mig att hasa över kanten och glida ner mot dalen som bredde ut sig under mig. Fortfarande hade de inte hunnit ikapp mig. När jag nådde dalens botten reste jag mig upp och såg mig för första gången tillbaka. Ingenstans kunde jag upptäcka banditerna. Jag fortsatte att gå in mot dalen som var alldeles flack och tycktes oändlig. När det blev mörkt stannade jag vid ett träd och klättrade upp bland de högst belägna grenarna. Jag var mycket törstig och fick använda mina sista krafter för att orka häva mig upp i trädet.

Tidigt i gryningen fortsatte jag. Jag visste inte vart jag var på väg, jag tänkte på min mor och min syster, på min far och den brända byn. Men jag tänkte också på den bror jag inte hade dödat och den man som haft smala, hårt sammanknipna ögon. Jag var bara ett barn. Men jag hade redan dödat en människa.

Sent på eftermiddagen, när mina läppar hade spruckit av törsten, kom jag till ett litet vattendrag. Jag drack mig otörstig och satte mig sedan i skuggan av några täta buskar. Fortfarande hade jag inte klart för mig att banditerna hade låtit mig slippa undan. Jag visste heller inte vad jag skulle göra. Jag minns den stora ensamheten jag kände vid det där lilla vattendraget.

Det var som om världen hade gått under och jag hade blivit lämnad ensam kvar. Åt vilket håll jag än gick skulle jag förbli ensam.

Men jag hade fel. För det var när jag satt i skuggan av buskarna som jag plötsligt upptäckte en människa på andra sidan den smala floden. Det var där jag mötte den vita dvärgen som senare förde mig hit till staden.

Det hade redan blivit gryning när Nelio tystnade. Ett svagt regn hade börjat falla, och jag täckte över honom med ett tak av mjölsäckar. Jag kände på hans panna att febern hade återkommit. Innan jag reste mig för att gå och skaffa mer av fru Muwulenes örter, tänkte jag länge på det han hade berättat. Jag visste fortfarande inte vad som hade hänt under natten på teaterns scen. Vad hade han gjort där? Vem hade skjutit honom?

Nelio sov.

Jag reste mig och sträckte på min rygg som var trött. Därefter lämnade jag honom ensam med de drömmar jag inte visste någonting om.

Den tredje natten

Under den natt som följde trodde jag att Nelio skulle dö, utan att jag någonsin skulle få veta varför han hade blivit skjuten. Långa stunder var han djupt nersänkt i den höga febern som rasade genom hans kropp. När han yrade och kastade sig fram och tillbaka på madrassen, var det som att se en människa i det sista stadiet av den dödliga malarian, det skulle inte längre finnas någonting jag eller någon annan kunde göra för honom. Han skulle lämna livet utan att ha avslutat sin berättelse.

Men han kämpade sig igenom även denna kris, fortfarande var han starkare än sin sårfeber, och när det åter blev gryning kändes hans panna sval och han sov lugnt. Han hade då till och med velat ha lite bröd innan han somnat. Under dagen hade även jag fallit i sömn. Jag hade rullat ut en bastmatta som jag fått låna av fru Muwulene när jag hämtat mer av hennes örter. Jag hade sagt som det var, eftersom jag trodde att jag kunde lita på henne. Jag hade inte sagt hela sanningen, vare sig att det var Nelio, ett gatubarn som låg på teaterns tak, eller att han hade blivit skjuten. Jag hade bara sagt att någon hade blivit skadad, någon som behövde min hjälp. Hon hade inte kommenterat det utan bara blandat till nya örter, bland annat hade hon krossat några små blad som lyste i en klar röd färg, blad som jag tidigare aldrig hade sett. Men jag frågade henne inte vad det var. Hon skulle ändå inte ha svarat. Hon skulle ha behandlat mig med samma förnäma överseende som hon en gång hade behandlat den unge politiske kommissarien när han hade velat ta hennes ormar ifrån henne.

Det var redan sent på natten när Nelio fortsatte sin berättelse. Jag hade då skickat hem min degblandare, allt var klart för en ensam natt i bageriet, och ingen tycktes ha misstänkt att mina tankar befann sig långt borta från ugnarna, på taket, där Nelio låg.

Men en sak hade skett under dagen som jag insåg hade med Nelios skottskador att göra. Det var Rosa, en av de retsamma flickorna som sålde det bröd vi bakade, som påpekade att en grupp av de gatubarn som brukade hålla till utanför teatern och bageriet hade försvunnit. När jag gick ut på gatan såg jag genast att det var Nelios grupp. Jag frågade en av de andra pojkarna, som av någon anledning kallades för Näsan, om han visste vart de hade tagit vägen.

– De är borta, svarade han bara. Borta. Kanske har de hittat någon bättre gata. Med dyrare bilar. Som man får mer betalt för att smutsa ner och sedan tvätta.

Jag kan inte alldeles ärligt svara på om det var min nyfikenhet eller min oro för Nelio som var starkast. Men med mina förfäder som vittne hoppas jag att det var min oro. Den kvällen kunde jag inte låt bli att fråga honom om vad som hade hänt. Nelio tycktes inte bli förvånad över frågan. Hans svar kom bestämt, och det var undvikande.

– Jag har ännu inte kommit dit, sa han. Jag har ännu inte ens kommit hit till staden.

Sedan såg han mig rakt in i ögonen, och han talade som en vis gammal man, inte som den bleka och magra tioåring som låg framför mig på den smutsiga madrass jag en gång hade hittat vid en soptunna.

– Jag berättar för att hålla mig vid liv, sa han. På samma

sätt som det var själva livet som sprang när jag flydde från banditerna, så ligger nu mitt liv i orden som beskriver allt det som har hänt.

I det ögonblicket insåg jag att Nelio visste att han skulle dö. Han hade vetat det hela tiden. Han berättade inte om sitt liv för mig. Han berättade för sig själv och för de andar, hans förfäders andar, som osynligt svävade runt honom där han låg på taket, väntande på att han skulle återvända till dem, och det liv som låg före och efter allas våra liv.

Jag frågade inte mer. Jag visste nu att han skulle leva tillräckligt länge för att jag skulle få svar på mina frågor när han till slut, i sin långa vandring hade nått fram till den natt då han hade blivit skjuten.

Den natten bytte jag också bandaget runt hans bröstkorg. Jag hade köpt tygremsor av fru Muwulene. Till min förvåning upptäckte jag att de kom från en sönderriven flagga, utan att jag kunde säga vilket land den var ifrån. Det kunde också ha varit något av de gamla koloniala standaren som blivit kvarlämnat, kanske undangömt på mörka vindar, och som ingen sedan visste vad de skulle göra med. Hon hade fuktat remsorna i ett örtbad och sagt åt mig att vänta tills brisen från havet hade gjort luften svalare innan jag bytte bandaget. I det flackande ljuset från fotogenlampan kunde jag se att de två hålen efter kulorna hade börjat svartna. Kulorna hade inte gått rakt igenom hans kropp, på hans rygg fanns inga märken av utgångshål.

Nelio hade alltså blivit skjuten rakt framifrån. Eftersom det hade funnits krutstänk på hans skjorta måste den som hållit i vapnet ha varit mycket nära honom.

Nelio visste vem som hade skjutit honom. Men det behövde inte betyda att han också förstod varför han blivit skjuten.

Eller gjorde han det? Under de nätter han låg på taket och väntade på att andarna skulle hämta honom, såg jag honom aldrig bli upprörd vid tanken på det som hade hänt. Hade han väntat på det som hade skett? Jag brann efter att få veta svaret. Men jag frågade honom bara en enda gång. Jag visste då att han berättade sin historia som man lever sitt liv. Händelserna kastades inte om, de skedde på nytt, i samma ordning, genom hans ord.

Dagen kommer alltid innan morgondagen.

Trots att jag försökte vara försiktig gjorde det ont för Nelio när jag bytte ut det klibbiga och stela bandaget mot de flaggremsor fru Muwulene hade doppat i badet med de röda bladen. Jag såg hur han bet ihop tänderna och en gång svimmade han för några korta sekunder när jag var tvungen att dra loss en bit av bandaget som hade fastnat inne i ett av skottsåren. Efteråt låg han länge tyst. Kvinnan som hade påmint honom om hans mor stod i mörkret nedanför vårt tak och stötte med sin stock mot majsen i sin mortel. Jag rös vid minnet av det Nelio hade berättat natten innan. Jag frågade mig oavbrutet var människornas ondska kom ifrån. Varför har barbariet alltid ett mänskligt ansikte? Som gör barbariet så omänskligt?

Den natten hade jag mycket att göra nere i bageriet. Av en religiös sekt som var verksam i staden, hade Dona Esmeralda fått beställning på en särskild sorts bröd som skulle gräddas längre tid än vanligt. Jag hade gjort det många gånger tidigare. Därför visste jag att man måste vara mera påpasslig än vanlig. Till slut blev jag dock färdig även med sektens bröd. När jag återvände upp på taket var Nelio vaken. Jag gav honom att dricka. Natten var mycket klar, stjärnorna tycktes nära. Någonstans ifrån hörde vi ljudet av trummor i natten. Kvinnan med majsen hade tystnat. En annan kvinna skrattade högt och passionerat. Sedan tystnade även hon. Hundar ylade och parade sig i mörkret, en lastbil med hostande motor passerade på gatan utanför teatern.

Det var då som Nelio återvände till floden, där han sjunkit ihop för att vila efter den långa flykten från banditerna. När han fortsatte sin berättelse var hans röst annorlunda mot natten innan. Då hade den varit eftertänksam, ibland sorgsen och hård. Nu fanns det en glädje i hans röst, över att banditerna inte längre fanns alldeles bakom honom.

På den andra sidan av floden hade han upptäckt en människa. Först hade han trott att det var ett djur, kanske ett av de sällsynta vita lejon han hade hört de gamla i byn berätta om, de lejon som förebådade stora händelser, men som ingen kunde veta om det var goda eller dåliga händelser som skulle inträffa. Sedan hade han sett att det inte var något djur, det var en människa, en människa, som var både liten och vit, en *xidjana*. Han hade hukat sig ner eftersom han inte visste om det kanske också fanns banditer som var små och vita. Men dvärgen på andra sidan hade redan upptäckt honom, och ropade till honom på ett språk som nästan var likadant som det han själv talade.

– Vad gör ett ensamt barn här vid floden? Rösten var pipig och gäll. Vad gör ett barn ensam vid en flod när det inte finns en by i närheten? Har du gått vilse?

– Ja, hade Nelio svarat. Jag har gått vilse.

– Då kommer du att se saker som du inte har förväntat dig, fortsatte dvärgen. Kom över hit. Det finns ett vadställe nedanför trädet som fallit i floden.

Nelio vadade över floden där en halvrutten trädstam låg

nersjunken i bottendyn. När han kom fram till dvärgen hade denne satt sig ner på marken med korslagda ben och börjat tugga på en rot, som han omsorgsfullt hade rengjort med flodvatten. Bredvid honom stod en stor resväska av läder, med konstfärdiga metallbeslag. Nelio hade aldrig tidigare i sitt liv sett en väska. Han tänkte att om den hade varit lite större så kunde det ha varit dvärgens hus, som han bar med sig.

Dvärgen vecklade upp ett tygstycke som låg bredvid honom och tog fram en annan rot som han sträckte mot Nelio. Han tog emot den eftersom det var länge sedan han hade ätit och började tugga på den. Roten hade en bitter smak, han hade aldrig sett en sådan rot tidigare, och han tänkte att han redan nu befann sig i ett land där det som växte i jorden var annorlunda mot det som hade funnits i den by som blivit nerbränd.

– Ät inte så fort! skrek dvärgen, och Nelio blev plötsligt rädd att han trots allt hade råkat ut för en bandit som förklätt sig till dvärg och albino.

Nelio började genast tugga långsamt. De åt under tystnad. Trots att dvärgen, som ännu inte hade sagt sitt namn, satt flera meter ifrån honom, kunde Nelio märka att han luktade som en blomma, en sötaktig doft, nästan som en kvinna som gjorde sig till för en man.

Det tog lång tid att tugga i sig roten. Dvärgen var fortfarande tyst. Men till slut, när bara blasten fanns kvar, och han hade använt den för att gnugga sina tänder rena, började han tala igen.

– Har du något namn? ropade han, som om han inte kunde tala på något annat sätt än genom att försöka göra sig hörd över hela världen.

– Nelio.

Dvärgen betraktade honom uppmärksamt.

– Det namnet har jag aldrig tidigare hört, sa han. Det är inget namn för en svart man. Det är en vit mans korta och intetsägande namn.

– Jag fick det av min fars äldste bror.

– Det namnet kommer inte att göra dig lycklig, sa dvärgen efter en stunds tystnad, utan att vidare förklara vad han menade. En stund senare reste han sig för att gå vidare. Nelio hade också rest sig. Han upptäckte då att han var längre än dvärgen som stod framför honom.

– Vart är du på väg? ropade dvärgen.

– Ingenstans, svarade Nelio, och han märkte att också han hade smittats av dvärgens gälla röst. Ingenstans! ropade han.

– Skrik inte! ropade dvärgen. Jag står alldeles intill dig. Jag hör. Mina ben och armar är korta. Men mina öron är stora och djupa.

Sedan stod han tyst och funderade.

– En människa som är på väg någonstans kan knappast ha sällskap med en människa som inte ska någonstans, sa han. Men vi kan försöka. Du kan få följa med mig om du bär min väska.

– Vart är du på väg? frågade Nelio. Har du också ett namn?

– Yabu Bata, svarade dvärgen och lyfte upp väskan på Nelios huvud. Till sin lättnad märkte Nelio att den inte var tung.

– Vad har du i väskan? frågade Nelio.

– Du frågar för mycket, ropade dvärgen. Min väska är tom. Jag har den med om jag hittar något som jag måste ta med mig.

De började gå. Dvärgen gick fort, med sina krumma ben

trummande mot den torra marken. De följde floden mot söder.

När de hade gått i många timmar och solen redan började närma sig horisonten, stannade dvärgen plötsligt som om han hade kommit att tänka på någonting.

– Nu ska jag svara på din fråga om vart jag är på väg. Jag hade en dröm om att jag skulle ge mig av på en vandring och söka efter en stig som skulle visa mig rätt.

Nelio hade ställt ner väskan och torkat svetten ur ansiktet.

– Vilken stig? frågade han.

– Vilken stig, upprepade dvärgen ilsket. Stigen jag drömde om. Som ska visa mig rätt. Fråga inte så mycket. Vi har långt att gå.

– Hur vet du det? frågade Nelio.

Yabu Bata såg undrande på honom innan han svarade.

– En stig som man har drömt om och som ska visa en människa rätt kan inte ligga nära, svarade han till sist. Det som är viktigt är alltid svårt att finna.

När kvällsljuset brann vid horisonten slog de läger. De hade stannat vid en övergiven termitstack, mitt ute på en stor slätt. I ett ensamt träd satt en örn och betraktade dem med vaksamma ögon.

– Ska vi stanna här? sa Nelio. Ska vi inte klättra upp i ett träd? Om de vilda djuren kommer.

– Du vet ingenting, svarade Yabu Bata ilsket. Inget har du lärt dig. Du har gått vilse och du ska vara glad att jag låter dig bära min väska. Vi ska naturligtvis sova inne i termitstacken. Hjälp till nu. Fråga inte så mycket.

Med stor kraft angrep Yabu Bata termitstackens hårda

skal med en grov kniv han hade haft hängande i sitt bälte. Nelio insåg att han var mycket stark. Han hjälpte till att skovla undan den hårda lera som Yabu Bata hackade loss. Till sist hade han huggit upp en öppning till den grotta som fanns inne i termitstacken.

– Släng in lite gräs, sa han sedan.

– Varför det?

– Du frågar fortfarande alldeles för mycket. Gör som jag säger.

Nelio repade ihop gräs tills Yabu Bata sa att det var tillräckligt. Ur fickan tog han sedan upp en tändsten och slog eld. Gräset brann inne i termitstacken. Plötsligt gjorde Nelio ett hopp baklänges och snubblade omkull över Yabu Batas väska. Två ormar ringlade ut ur termitstacken och försvann i gräset.

– Nu är vi ensamma, skrockade Yabu Bata. Nu kan vi krypa in och lägga oss.

Det var trångt inne i termitstacken när Yabu Bata hade satt väskan framför öppningen. Deras kroppar snuddade vid varandra, Nelio kände den starka lukten av parfym som stack i hans näsa. Men han ville inte fråga varför Yabu Bata luktade som en kvinna. En dvärg och en albino kunde besitta många hemlighetsfulla krafter som man inte skulle utmana i onödan. Istället skulle han vara tacksam över att han hade fått lov att följa Yabu Bata och bära hans tomma väska på sitt huvud.

– Du har flytt från banditerna, sa Yabu Bata plötsligt ur mörkret. Du har inte gått vilse. Varför ljuger du för mig?

Nelio tänkte att Yabu Bata hade kunnat läsa hans tankar. Han kunde inte ha några hemligheter för en albino som aldrig skulle dö. Det visste alla om albiner, att de levde för evigt. De hade inga andar, de behövde aldrig gå över till det andra livet, de fanns alltid här, vita och synliga. Hur hade han kunnat glömma det?

– De kom på natten och brände byn, svarade Nelio. De dödade många. De dödade också våra hundar. De ville att jag skulle döda min bror. Då sprang jag.

Yabu Bata suckade i mörkret.

– De dödar så många, sa han sorgset. Till slut kommer de att ha dödat alla. Ormarna kommer att behärska jorden. Andarna kommer att leta oroligt efter alla som är döda och som de inte kan finna.

– Har de alltid funnits? frågade Nelio. Banditerna? Vilka är banditernas mödrar?

– Nu ska vi sova, svarade Yabu Bata ilsket. Frågor ska man ställa när solen kan skratta åt alla ens dumheter. Nu sover vi. I morgon har vi säkert långt att gå. Ingen vet.

De låg tätt tillsammans inne i mörkret. Nelio kunde känna Yabu Batas andedräkt mot sin nacke. Hans lugna andhämtning gjorde att rädslan försvann, som om också den behövde gå till vila. Nelio undrade, som den sista tanken innan han somnade, om Yabu Bata skulle kunna hjälpa honom att skaffa ett par byxor.

Det gick i många dagar under den brännande solen utan att Yabu Bata kunde finna den stig han hade drömt om. De hade ofta knappt om mat, och trots att Yabu Bata hade lovat att skaffa ett par byxor till honom, bar han fortfarande den trasiga *capulanan* runt kroppen. De avlägsnade sig alltmer från de höga bergen utan att för den skull komma längre bort från banditerna. De passerade andra byar som var brända, där ensamma vålnader satt och stirrade framför sig. Vid flera tillfällen stannade Yabu Bata när han såg människor på avstånd. Hade han den minsta misstanke om att det kunde vara banditer, la de sig ner i gräset och gick inte vidare förrän de åter var ensamma. Oftast gick de tysta, Nelio hade förstått att Yabu Bata bara sällan var beredd att svara på frågor. Eftersom han var rädd att Yabu Bata plötsligt skulle tröttna på hans sällskap och jaga iväg honom sa han ingenting utom när han var alldeles säker på att Yabu Bata hade tid med honom. Han lärde sig att Yabu Batas humör var beroende på om de hade mat eller inte. Vid ett tillfälle när de både hade majs och hade lyckats fånga några fiskar i en flod och ätit sig ordentligt mätta, började Yabu Bata sjunga med sin gälla röst. Han sjöng så högt att Nelio var rädd för att banditer på långt avstånd skulle höra honom och komma smygande. Men inga banditer kom och när Yabu Bata sedan hade sovit en stund med ljudliga snarkningar för att smälta maten, satte han sig plötsligt upp och såg på Nelio.

– Jag kommer från Puckelbergen, sa han. Om min far fortfarande lever har han säkert fler djur än när jag gav mig av. Min mor vävde mattor, min farbror skar skulpturer i svart trä. Jag lärde mig till smed, trots att mina armar är så korta. Hade jag inte haft min dröm så hade jag fortfarande varit smed. Min hustru väntar kanske på mig fortfarande, liksom mina fyra barn som alla är långa och lika svarta som du.

Nelio tänkte att han kanske hade sökt efter sin stig i flera månader, kanske ända sedan regnen hade upphört. Men när han frågade fick han ett svar som han inte hade väntat sig.

– Du är ännu så ung att du tror en månad är lång tid, svarade Yabu Bata på hans fråga. Jag har sökt efter min stig i nitton år, åtta månader och fyra dagar. Har jag tur kommer jag att hitta den innan det har gått ytterligare nitton år.

Har jag otur eller blir mitt liv för kort så kommer jag aldrig att hitta den. Då får jag fortsätta att söka efter den när jag har börjat leva med mina förfäder.

Nelio satt länge tyst och grubblade på det som Yabu Bata hade sagt. Han började plötsligt oroa sig för att han kanske räknade med att Nelio skulle bära hans väska ända tills han hittade den stig han en gång hade drömt om, kanske i nitton år. Han tvekade länge om han skulle våga säga det han tänkte till Yabu Bata som hade lätt för att bli arg. Men till slut insåg han att han var tvungen.

– Jag kan inte följa dig i nitton år, sa han försiktigt.

– Det har jag inte räknat med heller, svarade Yabu Bata ilsket. Jag har redan börjat tröttna på att se ditt ansikte varje dag. När vi kommer till havet så skils vi åt. Sedan får du klara dig själv.

– Havet, sa Nelio. Vad är det?

Kanske hade hans far någon gång berättat om en flod som var så bred att man inte kunde se till andra sidan. Han hade vaga minnen att han hört om ett jättelikt vatten som kunde ryta och vräka sig upp på land och riva med sig både människor och djur. Den gången hade han tänkt att det bara var en av de sagor som hans far tyckte om att berätta. Var havet något som verkligen fanns?

– Jag vill gärna följa med till havet, sa han.

– Det är inte långt kvar, sa Yabu Bata. I alla fall inte nitton år.

De nådde fram till havet om eftermiddagen en vecka senare. De hade kommit upp på en höjd när Yabu Bata plötsligt stannade och pekade. Nelio följde några steg bakom honom. Han tvärstannade och kom sig inte för att ställa ner väskan när han fick se det blåa vattnet breda ut sig framför honom. Utan att han kunde förklara varför fick han genast en stark känsla av att han hade kommit hem.

Han som aldrig ens varit säker på att havet verkligen fanns, som trott att det kanske bara hade varit något hans far hade hittat på. Nu såg han det framför sig och han hade genast fått känslan av att ha kommit hem.

En människa kunde alltså känna sig hemma där hon aldrig tidigare hade varit. Eller fanns det inskrivet i våra medvetanden, från det ögonblick vi föddes, som ett grundläggande mänskligt drag, att vi alla måste känna oss hemma i havets närhet? Nelio hade stått vid sidan av Yabu Bata, sett ut över havet som hela tiden tycktes växa framför hans ögon, och tänkt dessa tankar. Det var tankar som föddes av sig själva, utan möda, tankar som förvånade honom eftersom de inte liknade något han tidigare hade tänkt i sitt liv.

Längre hade han inte kommit innan Yabu Bata hade skingrat hans tankar.

– Om man inte kan simma är havet farligt, hade han sagt.

– Simma, sa Nelio. Vad är det?

Yabu Bata suckade.

– Jag är glad att vi snart ska skiljas, sa han. Du vet ingenting. Och du frågar om allt. Jag skulle åldras mycket fort om jag var tvungen att svara på alla dina frågor. Att simma är att flyta på vattnet och samtidigt förflytta sig framåt.

Nelio som hade vuxit upp vid en flod som var full av krokodiler hade aldrig haft en tanke på att en människa kunde röra sig i vattnet. Vatten var för att dricka, för att tvätta i och för att ge liv åt majsen och *cassavan*. Men att röra sig i?

De gick ner till stranden, fram till havet som rullade fram och tillbaka.

– Ställ inte ner väskan så att den blir blöt, sa Yabu Bata.

Jag vill inte bära på en våt väska när jag går härifrån. Sedan gick han ut i vattnet efter att ha kavlat upp sina byxor över de korta och krumma benen. Nelio hade stått kvar vid väskan för att hastigt kunna flytta på den om havet skulle rulla högre upp. Den vita sanden var mycket varm. Yabu Bata vadade fram och tillbaka och plaskade vatten i sitt ansikte. När han kom upp igen sa han åt Nelio att göra samma sak.

– Det svalkar, sa han. Hjärtat slår långsammare, blodet rinner lugnare.

Nelio gick ut i vattnet. När han böjde sig ner och drack smakade det illa. Han spottade medan Yabu Bata satt och skrattade belåtet i sanden.

– När Gud skapade havet gjorde han det med stor visdom, ropade Yabu Bata. Eftersom han inte ville att människorna skulle dricka upp allt hans blåa vatten gjorde han det salt.

Nelio gick upp ur havet och satte sig bredvid Yabu Bata i sanden. I timmar satt de utan att tala och såg på vattnet som ständigt skiftade, ständigt rörde sig. Av några fiskare som gick förbi med sina nät och sina korgar över axlarna köpte Yabu Bata fiskar som de sedan stekte över en eld i lä av en sanddyn. På natten låg de utsträckta i sanden och såg upp mot stjärnorna. På avstånd slog vattnet mot stranden.

– I morgon lämnar jag dig, bröt Yabu Bata plötsligt tystnaden. Jag förde dig till havet som jag lovade.

– Du lovade mig också ett par byxor, sa Nelio.

– Du är en fräck unge, svarade Yabu Bata ilsket. Människor lovar så mycket som de gärna vill hålla. Men allt som man vill är inte alltid möjligt. Man vill leva i eviga tider. Men det är inte möjligt. Man vill se sina fiender förgås av sin egen olycka. Inte heller det är alltid möjligt. Man vill ha ett par byxor. Ibland är det möjligt. När du blir vuxen kommer du att förstå.

– Förstå vad då? hade Nelio frågat, utan att försöka dölja att han var både missnöjd och besviken.

– Förstå att man måste lära sig att glömma de löften som andra ger.

– Det tror inte jag, sa Nelio.

– Jag är glad att vi ska skiljas i morgon, svarade Yabu Bata ilsket. Du är inte bara frågvis, du opponerar dig också när äldre och kloka människor berättar för dig om livet.

Igen låg de tysta. Stjärnorna väntade.

– I morgon när jag vaknar, sa Nelio. Kommer Yabu Bata då att vara borta?

– Det beror naturligtvis på hur tidigt du vaknar, svarade Yabu Bata. Men jag hoppas jag har gett mig av när du slår upp ögonen. Jag tycker inte om att ta avsked. Inte ens av frågvisa barnungar.

Nelio blev länge liggande vaken i sanden, långt efter det att Yabu Batas andhämtning hade blivit tung, och även efter det att han hade börjat snarka. Det var som om Nelio först nu hade insett att han dagen efter skulle bli lämnad ensam. Han tänkte att det var det första han nu måste lära sig, att han inte längre kunde ta för givet att han alltid hade någon hos sig. Många gånger hade hans far, Hermenegildo, berättat för honom, att det värsta som kunde hända en människa var att han blev lämnad ensam. En människa som inte hade någon familj var ingenting. Det var som om den människan inte fanns. Man kunde mista allt, sina ägodelar, till och med sitt förstånd, om man drack för mycket *tontonto*. Allt det kunde man överleva. Bara inte att vara utan människor, sin familj, alla sina mödrar och systrar och bröder. Kanske det var den största orätten banditerna hade gjort honom? De hade berövat honom hans familj. Nelio blev plötsligt mycket ledsen där han låg i den svala sanden med den snarkande Yabu Bata vid sin sida. Egentligen hade han mest av allt lust att krypa intill honom, så nära att han kunde känna hans hjärtslag. Men han vågade inte. Yabu Bata skulle säkert vakna och bli arg. Han blev liggande och tänkte på allt som hade hänt, från den natten då mörkret hade exploderat i det vita sken som kom ur banditernas eldvapen. Han tänkte på sin döda syster, mannen med de smala ögonen som han hade dödat och på sin bror som fortfarande levde. I morgon skulle han bli lämnad ensam, han hade inte ens ett par byxor, och han visste inte vart han skulle ta vägen. Han tänkte att det måste bli den sista fråga han ställde till Yabu Bata, den viktigaste fråga han hade haft i sitt liv tills nu.

Åt vilket håll skulle han gå? Var fanns hans framtid? Fanns det överhuvudtaget någon framtid? Hade den försvunnit den där natten när banditerna hade kommit och till och med dödat deras hundar? Eller var det här, vid havet som han inte kunde gå på, var det här vägen tog slut, här han skulle stanna?

Han somnade och sov oroligt. Hela natten drömde han att Yabu Bata redan hade vaknat och gjorde sig i ordning för att gå. Men när han till slut vaknade, i den tidigaste gryningen, stod väskan fortfarande kvar vid hans sida. Yabu Bata hade klätt av sig sin sari och stod naken ute i vattnet. Hans krumma kropp blänkte mot vattnet när han tvättade sig. Nelio tänkte att en människa som stod naken i havet var en mycket tydlig människa. Mot havets vatten kunde man se hur en människa verkligen såg ut.

Yabu Bata kom tillbaka till stranden och verkade inte glad över att upptäcka att Nelio hade vaknat. Han drog på sig sin sari och skakade vattnet ur sitt blekgula, krulliga hår.

– Jag vet att du tycker att jag har för många frågor, sa Nelio. Därför tänker jag bara fråga dig om en enda sak till innan du går.

Yabu Bata tycktes plötsligt bli sorgsen över att de skulle skiljas. Han satte sig i sanden vid sin väska och lutade huvudet i händerna.

– Jag undrar ibland om jag kommer att hitta den stig jag drömde om, sa han. Varje natt drömmer jag om att jag är tillbaka i min by intill Puckelbergen, att jag står i min smedja. Men när jag vaknar är jag alltid någon annanstans. Jag undrar ofta varför Gud gav människor förmågan att drömma. Varför ska man se en stig i sina drömmar som man sedan kanske inte hittar? Varför återvänder man i sina drömmar till sin smedja när man sedan vaknar och ligger i sanden intill havet?

Länge satt Yabu Bata med huvudet i händerna och grubblade över varför människor drömmer. Sedan ryckte han upp sig och såg på Nelio.

– Vad var det du ville fråga om? sa han.

– Åt vilket håll jag ska gå.

Yabu Bata nickade tankfullt.

– Det var den bästa fråga du hittills har kommit med, sa han. Jag önskar att jag hade kunnat svara på den. Vart du är på väg kan bara du själv svara på.

– Jag vill gå till en plats där det finns ett par byxor, svarade Nelio bestämt.

– Byxor finns överallt, svarade Yabu Bata. Jag tror det bästa du kan göra är att följa havet rakt mot söder. Där finns människor, där finns städer. Dit ska du gå.

– Är det långt? frågade Nelio.

– Du hade bara en fråga, sa Yabu Bata. Så fort jag svarar så kommer du med nästa fråga. Samma väg kan vara både lång och kort. Det beror på var du kommer ifrån och vart du ska.

Sedan började Yabu Bata plötsligt skratta. Han grep en näve sand och kastade den över sitt huvud, som om han plötsligt hade mist sitt förstånd.

– Sannerligen om jag inte kommer att sakna dig, sa han när han hade lugnat sig.

Han slog upp locket på väskan och plockade fram en liten påse av läder. Han öppnade den och tog fram några sedlar som han gav till Nelio.

– Här har du att köpa ett par byxor för, sa han. Varje gång du tar av dem eller sätter dem på dig kommer du att minnas mig, Yabu Bata.

– Jag har ingenting att ge dig, svarade Nelio.

– Ge något till någon annan när du en gång har något att ge, svarade Yabu Bata och la tillbaka påsen i sin väska.

Sedan reste han sig och grep sin väska.

– Det finns bara två vägar i livet, sa han. Dårskapens väg som leder en människa rakt i fördärvet. Den väg som man följer när man handlar mot sitt eget vetande. Den andra vägen är den man ska följa. Den som leder en människa rätt.

Sedan började han gå längs stranden. Han vände sig aldrig om. Nelio följde honom med blicken tills ögonen började värka av den starka solen som blixtrade mot den vita sanden. Det sista han såg var en otydlig prick som till slut svävade som förtunnad rök i hettan.

Nelio följde havet mot söder. Han försökte låta bli att tänka på den stora ensamheten som omgav honom. Han saknade väskan han så länge hade burit på sitt huvud lika mycket som han saknade Yabu Bata. Men han visste redan nu att han aldrig skulle komma att återse honom. Han skulle aldrig få veta om han hade funnit sin stig eller inte.

Två dagar senare kom Nelio till en liten stad som bestod av låga hus, samlade kring en enda gata. Utanför ett av dem där det hängde kläder på en ranglig träställning stannade han. En indier som var så mager att han verkade utmärglad, som om han genomlidit en lång tid av hunger, kom ut ur mörkret inne i huset. Av honom köpte Nelio ett par byxor i mörkröd bomull. När han hade betalat gick han till baksidan av huset, drog av sig den trasiga *capulanan* och satte på sig byxorna. Capulanan virade han konstfärdigt runt huvudet som skydd för den skarpa solen. När han återvände till gatan stod indiern utanför dörren och hängde upp ett par nya byxor på träställningen.

– Vart är du på väg? frågade indiern.

– Söderut, svarade Nelio.

– Byxorna håller för en lång vandring, svarade indiern drömmande.

Nelio följde havet. Varje natt sov han bakom en sanddyn. I gryningen tog han av sig sina byxor, vadade ut i vattnet och tvättade sig som han hade sett Yabu Bata göra. När han var hungrig stannade han och hjälpte fiskarna att dra iland deras båtar och göra ren deras nät. De gav honom mat och han fortsatte när han hade ätit sig mätt. Landskapet förändrade sig men havet var ständigt detsamma. På avstånd såg han berg och slätter, skogar med gråa, sönderbrutna träd, träsk och ökenland. Han gick utan att tänka på vart han skulle. Fortfarande var han på väg bort från någonting, och han väntade på ett tecken som skulle klargöra för honom vart han var på väg. Om nätterna såg han månen sakta gå från den smala skäran till att bli full och sedan åter försvinna. Han tänkte att han redan hade gått i många dagar, och att havet tycktes honom oändligt. Ibland mötte han människor med vilka han slog följe några dagar, men oftast vandrade han ensam. Alla frågade honom om vart han var på väg. Han berättade om banditerna, om den brända byn, men han utelämnade alltid att han en dag hade vägrat skjuta sin bror och istället dödat en man med smala, hopknipna ögon. När de upprepade sin fråga – vart han var på väg – svarade han att han inte visste. Han insåg under denna tid att människor alltid ville veta vart andra människor var på väg. Det var den fråga som band främmande människor och vägfaranden samman.

En dag, tidigt på förmiddagen nådde han en flodmynning. Han såg en raserad bro i närheten och tänkte att han måste söka efter någon som hade en båt som kunde ta honom över, när han fick syn på en människa som satt på en sten intill vattnet. När han närmade sig henne blev han plötsligt osäker. Hennes hud var av fjäll, hon liknade mer ett djur än en gammal kvinna. Hon hade dock redan hört honom och vred på huvudet och såg på honom med stela ögon. Då förstod han att hon var en *halakawuma*, förklädd till människa och kvinna. Eller kanske var det tvärtom, kanske hon var en gammal kvinna som förklätt sig till den kloka ödlan. Han närmade sig henne ytterligare, men höll sig hela tiden på avstånd från hennes tunga. Han visste att han hade haft tur. Mötte man en *halakawuma* kunde man be om råd. Till och med kungar lyssnade när *halakawuman* viskande framförde sina råd om hur ett land borde styras. Han hade hört historier berättas om hur den förste ledaren för de unga revolutionärerna hade haft hela sin trädgård full med ödlor som han regelbundet kallade till rådslag. Nelio satte sig ner på marken. Ödlan följde hans rörelser med sina stela ögon.

– Jag vill inte störa, sa han. Men jag behöver ett råd. I

många dagar har jag gått, utan att veta vart jag är på väg. Jag har väntat på ett tecken som aldrig har visat sig.

– När man är så ung som du finns bara en väg att gå, svarade ödlan med en röst som klingade som klockor. Din väg bör leda dig hem.

Nelio berättade då kortfattat om det som hade hänt. Hela tiden var han orolig att ödlan skulle bli otålig och väsande krypa undan i det höga gräs som växte intill flodmynningen.

När han hade tystnat tog ödlan fram en flaska ur ett knyte vid sin sida och tog några kraftiga klunkar. Till sin förvåning kunde Nelio känna att det luktade palmvin. Ödlan drack och grimaserade. Nelio tänkte att världen var full av oväntade händelser. Aldrig hade någon berättat för honom att en *halakawuma* också kunde vara begiven på de drycker människor hällde i sig när de ville berusa sig.

– Jag är gammal, svarade ödlan. Jag vet inte längre hur goda mina råd är. Människor har mindre och mindre respekt för visdom. Alla tycks följa dårarnas vägar, vad vi än försöker säga, vi som ännu besitter det som finns kvar av den gamla kunskapen.

Ödlan drack igen och började vagga fram och tillbaka på stenen. Nelio var rädd att hon skulle somna innan han hade fått sitt svar.

– Korsa floden, sa ödlan till slut, nästan tankspritt, som om hennes hjärna redan var full av andra tankar. Korsa floden och gå ännu ett antal dagar. Då kommer du till den stora staden där husen klättrar som apor längs branterna mot havet. Där är människorna redan så många att det inte spelar någon roll om det kommer en till. Där kan du försvinna och dyka upp igen som den människa du önskar vara.

Innan Nelio hann ställa flera frågor hade ödlan redan

krupit bort i gräset med klumpiga rörelser. Han tänkte på det han hade hört och han bestämde sig för att det var det tecken han hade väntat på.

Samtidigt upptäckte han hur en man höll på att skjuta ut en kanot i flodvattnet. Han reste sig och sprang ner till mannen som redan stod med paddeln i handen.

En timme senare steg Nelio iland på andra sidan floden och fortsatte sin vandring.

Sent en eftermiddag kom han fram till staden. Han hade klättrat upp på en höjd och han hade varit mycket trött. Hur lång tid han då hade färdats kunde han inte svara på. Men hans fötter hade varit såriga, de byxor han köpt redan slitna och mycket smutsiga. Men nu såg han silhuetten av staden som reste sig på branterna ner mot havet.

Till slut var han ändå framme.

Trots att han aldrig hade varit där tidigare hade han omedelbart uppfyllts av samma känsla som när han för första gången tillsammans med Yabu Bata hade sett havet. I silhuetten av den stora staden, silhuetten av det fullkomligt okända, det han inte ens kunnat föreställa sig i sin fantasi, kände han sig genast hemma. Det var hans andra rike där han upplevde en oväntad tillhörighet. Det ingav honom tanken att alla människor som tvingas fly från ett krig, en farsot eller en naturkatastrof, någonstans har ett andra hem som står och väntar. Det gäller bara att fortsätta till den punkt där alla krafter har tömts ut. Just där, när utmattningen förvandlats till ett järngrepp runt de sista resterna av viljan, väntar det hem du inte visste att du hade.

Han kom fram till staden en sen eftermiddag när den korta skymningen färgade himlen röd. På avstånd satt han i den mjuka sanden och såg på den oändliga mängden av hus, av människor, av skramlande bilar och rostiga bussar.

Ingenstans såg han några hyddor, ingenstans i staden tyckte han sig ana några byar.

Han kände också hur rädslan fanns inom honom. Kanske staden tillhörde banditerna? Han kunde inte veta. Ännu vågade han inte gå in i staden. Han skulle vänta till morgonen dagen efter. På avstånd skulle staden få vänja sig vid att han hade kommit. Han visste att hans viktigaste uppgift nu var att hålla sig vid liv. Den viktigaste uppgift en människa kan ha.

Så fann Nelio sitt hem vid havet.

Dagen efter lät han sig uppslukas av människorna, gatorna och de förfallna husen.

En dag hade han bara funnits där.

Mot slutet, i gryningen, hade han varit mycket trött. Han hade talat med så låg röst att jag hade varit tvungen att luta mig tätt intill hans ansikte för att kunna höra vad han sa. Efteråt, när han tystnat, hade han nästan ögonblickligen somnat.

Jag satt länge vid hans sida, rädd för att han aldrig skulle vakna igen. Och jag tänkte att jag då aldrig skulle få veta vad som hade hänt den där natten på teatern, den natt som redan kändes så avlägsen, den natt då han hade blivit skjuten.

Jag la en våt handduk på hans heta panna och gick nerför trappan. På avstånd kunde jag höra Dona Esmeralda. Det hände att hon kom tidigt till bageriet för att kontrollera att alla som skulle vara där hade kommit i tid.

Jag stannade i den mörka trappan. Skulle hon kunna se på mig att Nelio låg däruppe på hennes tak? Skulle hon se på mig att jag hela natten hade lyssnat på en historia som jag ville aldrig skulle ta slut?

Jag kunde inte veta. Så fortsatte jag trappan ner.

Den fjärde natten

Dona Esmeralda märkte mig inte när jag hade kommit ner för trappan.

En stor oro härskade denna morgon på gatorna utanför bageriet och teatern. Bagarna, degblandarna, de retsamma flickorna som sålde bröd, vakterna, alla stod de samlade kring Dona Esmeralda i dörröppningen och såg ut på gatan. Eftersom jag är lika nyfiken som alla andra glömde jag för ett ögonblick Nelio som låg med sin sårfeber uppe på taket. Jag har ibland tänkt att det inte finns något som har så stor makt över människan som nyfikenheten. Därför kan jag i viss mån förlåta mig själv att jag för en kort stund glömde honom. Jag frågade bagaren som stod bredvid mig, jag tror det var Alberto, vad som hade hänt. Samtidigt såg jag hur stora flockar av gatubarn oroligt rörde sig fram och tillbaka längs gatan. De blockerade trafiken, kastade ut sopor från tunnorna framför husen och ropade och skrek.

– Nelio har försvunnit, svarade Alberto.

Jag kände hur något grep runt mitt hjärta.

– Nelio, sa jag. Vilken Nelio?

Dona Esmeralda som har en märklig förmåga att uppfatta allt som sägs i hennes närhet, vände sig om och såg undrande på mig.

– Alla vet vem Nelio är, sa hon med skarp röst. Den gudomlige Nelio som ingen någonsin har lyckats ge stryk.

– Det är klart jag vet vem Nelio är, sa jag ursäktande.

Har han försvunnit, fortsatte jag vänd mot Alberto, sedan Dona Esmeralda åter hade riktat blicken mot gatan.

– Han är borta, svarade Alberto. Gatungarna misstänker att han hålls fången.

– Vem skulle lyckas fånga honom?

– Gatungarna tror det är en sammansvärjning. Av alla dem som aldrig har lyckats ge honom stryk.

– Det låter inte troligt, sa jag tveksamt. Var skulle han kunna hållas fången?

– Hur ska jag kunna veta det, svarade Alberto.

Oron fortsatte hela dagen. Gatungarna som tycktes vara flera tusen fortsatte att ställa till oreda. Utkallade poliser betraktade avvaktande det hela från trottoarerna. Men deras befäl som svettades under de tunga mössorna tillät dem inte att ingripa. Någon påstod sig också ha sett inrikesministern, den fruktade mestisen Dimande, passera i sin bepansrade bil för att få en överblick över situationen. Först fram mot eftermiddagen stillnade gatungarnas oro. De samlades i flockar för att sedan lösa upp sig i små grupper och försvinna åt olika håll i staden. Trots att jag var mycket trött hade jag inte haft ro att sova under dagen. Min bror hade också sänt en av sina grannar för att ta reda på om jag hade blivit sjuk eftersom jag inte hade kommit hem på flera dagar. Jag skrev ett brev på en av de bruna brödpåsarna och sa att jag för närvarande arbetade så mycket att jag inte ansåg mig ha tid att komma hem. Men allt var bra, det fanns ingen anledning till oro för mig. Jag tvättade mig på baksidan av bageriet, klädde av mig naken bakom de rostiga takplåtarna som bildade ett litet avbalkat utrymme, och gjorde mig ren under vattenpumpen. Sedan gick jag till fru Muwulene och köpte nya tygremsor som hon doppade i sitt hemliga örtbad. Jag fick en känsla av att hon misstänkte att det var Nelio som befann sig i min vård, att han på något sätt hade blivit skadad. Medan jag stod i hennes mörka garage där det luktade starkt av ammoniak och okända kryddor tänkte jag allvarligt på att göra henne delaktig i det som skedde. Kanske jag kunde be henne komma och se på Nelio där han låg på taket? När jag hade betraktat de tusentals oroliga gatungarna hade jag insett vilket ansvar jag hade påtagit mig. Vad skulle ske om Nelio dog och det blev upptäckt att jag hade försökt vårda honom på ett tak, utan att ge honom tillgång till läkare? Om Nelio då inte längre kunde tala, vem skulle tro mig när jag sa att det hade varit hans egen önskan, att vara kvar på detta tak? Ingen skulle tro mig. Förmodligen skulle jag bli utdragen på gatan, poliserna skulle vända bort blicken och jag skulle bli ihjälslagen, stenad, indränkt i bensin och uppbränd.

Men jag sa ingenting till fru Muwulene. Det var som om det redan var för sent. Jag hade tagit på mig ett ansvar för Nelio och det skulle jag få bära ensam tills han bad mig om att få bli flyttad från taket. Efter mitt besök hos fru Muwulene gick jag till den stora marknaden och handlade mat. Jag köpte en färdiglagad höna och grönsaker, till något annat räckte inte mina pengar. På marknaden var det oroligt. Även om det inte var några gatungar som sprang omkring och sökte efter Nelio, var där många hungriga som tiggde, många fler än jag tidigare hade sett. Jag visste att det oavbrutet kom flyktingar till staden. Banditerna gick till angrepp runt om i landet, det gick rykten om att de unga revolutionärernas soldater flydde när banditerna kom, och fler och fler människor tvingades hals över huvud att överge sina hem. Jag tänkte på det Nelio hade berättat, och jag förstod något om det fruktansvärda öde som hade drabbat mitt land. Kriget som pågick splittrade familjer, bror kunde stå mot bror, och bakom allt som skedde, på avstånd i andra länder, fanns osynliga händer som ryckte i banditernas trådar. Det var de vita som en gång hade tvingats lämna landet som nu sökte efter sin återkomst. Jag kunde för mitt inre se hur Dom Joaquims statyer åter en gång skulle stå på våra torg, och jag kände en plötslig vrede över allt det som skedde. Det hade inte bara slungat ut Nelio i ett hemlöst tomrum, det hade jagat ett helt folk på flykt, oskyldiga, enkla människor, som aldrig velat annat än att försöka leva i fred med varandra, människor som aldrig lät en främling gå förbi deras hem hungrig. När jag återvände till bageriet från marknaden tyckte jag mig se staden på ett nytt sätt. Det var den sista skans vi hade att försvara, från banditer och statyer som hotade att förgöra oss.

Jag undrade hur det skulle gå. Utan att jag kunde förklara det för mig själv, blev det viktigt för alla i staden att Nelio fanns där på bageriets tak, och att han fortfarande levde. Den historia han berättade för mig var en historia som tillhörde oss alla.

Av ett gatubarn som sålde skjortor köpte jag en för de pengar jag hade kvar. Den var billig och jag kunde känna att den var av dålig kvalitet. Men jag ville inte att Nelio skulle ligga i samma skjorta längre. Den var svettig och smutsig och jag behövde tid att tvätta den. När jag återvände till bageriet smög jag mig genast upp på taket för att se om Nelio fortfarande sov. Till min förvåning upptäckte jag en grå katt som hade rullat ihop sig vid fotänden av hans madrass. Jag tänkte först att jag borde jaga bort den, den var säkert full med loppor. Men jag lät den ligga kvar. Nelio sov tungt och hans panna var inte så het som i gryningen. Jag satte mig vid skorstenen och såg på honom. Fortfarande hade jag svårt att avgöra om det var en tioåring eller en mycket gammal man jag hade framför mig.

I skymningen reste sig katten plötsligt från madrassen och försvann ljudlöst i mörkret över takåsarna. Nelio fortsatte att sova. Jag åt hälften av den mat jag hade köpt på marknaden och gick sedan ner till bageriet för att börja nattens arbete. Medan jag övervakade degblandarens arbete, han var ny och hade ännu inte lärt sig i vilken ordning mjölet, äggen, sockret, vattnet och smöret skulle blandas, grubblade jag över om jag skulle berätta för Nelio om det som hade hänt under dagen. Jag var osäker på hur han skulle reagera. Skulle han bli glad över att han var saknad? Eller skulle det göra honom nerslagen? Jag måste också erkänna att jag kanske framförallt hoppades att det skulle leda till att han berättade för mig vad som hade hänt, vem det var som hade försökt döda honom.

Hela tiden hade jag varit säker på att det inte hade varit något vådaskott. Det var en för mig okänd ondskans tjänare, som hade riktat sitt vapen mot Nelio. Jag hade tänkt att det kanske hade varit mannen med de hårt hopknipna ögonen som hade följt i hans spår som ledde mot staden och nu hittat Nelio. Men jag kunde inte tro att det var så. Inte heller förklarade det varför det hade skett på teaterns upplysta scen, mitt i natten.

Jag grälade med degblandaren som var lat och ointresserad av sitt arbete. Jag hotade honom med att jag skulle beklaga mig över honom inför Dona Esmeralda. Men han bara skrattade åt mig och gnolade på entoniga sånger som han uppfann medan han slarvade med mjölet och vattnet. Till sist kunde jag dock skicka hem honom, klockan var då strax efter midnatt. Jag bakade ut de första bröden och fyllde plåtarna. När de stod inne i ugnen skyndade jag mig åter upp på taket. Det blåste en stilla vind från havet. På avstånd kunde jag se blixtar från ett åskväder som drog förbi.

Nelio var vaken när jag kom. Han log när han fick syn på mig. Jag gav honom av maten jag köpt och vatten som jag blandat med fru Muwulenes örter.

– Jag har sovit länge, sa han. Och jag har drömt. Jag har gått mina vägar ännu en gång. Jag drömde att jag återsåg Yabu Bata.

– Hade han funnit sin stig? frågade jag försiktigt.

Nelio såg undrande på mig.

– Varför skulle jag ha frågat honom om det? sa han. Yabu Bata sökte sin stig i verkligheten. Varför skulle jag då fråga honom när jag mötte honom i en dröm?

Nu, ett år efter händelserna på taket, nätterna innan Nelio dog och jag fick den märkliga förklaringen till allt det som hade skett, kan jag fortfarande inte påstå att jag förstod det Nelio svarade på min fråga om Yabu Batas stig. Jag anar att han försökte säga mig något viktigt. Men min hjärna är ännu inte mogen att låta mig se igenom alla hans ord. Ibland betvivlar jag att jag kommer att leva tillräckligt länge för att få uppleva det ögonblicket.

Jag bytte bandaget. När jag fick se hur såren alltmer hade svartnat kunde jag inte dölja min rädsla. Jag tyckte också jag kunde känna den svaga lukten av döden som redan fanns i de infekterade såren.

– Jag måste ta dig till sjukhuset, sa jag.

– Inte än, svarade Nelio. Jag ska säga till dig när det blir nödvändigt.

Hans ord var så bestämda att jag inte kom mig för att protestera. Den egendomliga utstrålning av oemotsägbar självklarhet som Nelio alltid hade omgett sig med, allt sedan han krupit fram ur ryttarstatyn och visat sig för världen, hade inte övergett honom, trots att han nu var mycket sjuk.

Just den natten som följde, den fjärde, talade han mycket om den staty som hade blivit hans hem i staden och det hemliga rum dit han alltid kunde återvända med sina tankar.

Nelio gick in i staden tidigt i gryningen dagen efter det att han hade kommit fram. Natten hade han tillbringat på stranden, under en upp och nervält fiskebåt. Han följde strömmen av människor, överfulla lastbilar, rostiga bussar, dragkärror och bilar in mot staden. Han häpnade över de höga husen och var rädd för att de människor han skymtade bakom trasiga fönsterrutor skulle ramla ut och landa på hans huvud. Han följde människoströmmarna utan att bli en del av dem, han drev med och han undrade vart han egentligen var på väg. Dessa sina första dagar i staden kom han ihåg som en oavbruten vandring, genom dag och natt, till en början förvirrande och skrämmande, sedan alltmer lustfylld, och till slut som en känsla av att ha kommit till en medelpunkt, där allting inträffade, alla händelser, alla människor var samlade i en enda punkt. Så lärde han känna staden. Han plockade matrester ur soptunnor, lärde sig överleva genom att upprepa det andra barn gjorde som levde på gatorna på samma sätt som han.

De första nätterna sov han på en kyrkogård i utkanten av staden. Det var också där han trodde sig få en vän och upplevde en stor besvikelse. Under den första dagen, som också hade varit den längsta dagen, hade hans bara fötter blivit fulla av sår, eftersom han inte var van vid att gå på asfalt och skrovliga stenläggningar. Han hade dessutom flera gånger snubblat och fallit i de hål som stadens gator och trottoarer var fulla av. Han lärde sig att han i varje ögonblick måste välja, om han skulle se på de utställda varorna i ett skyltfönster eller om han skulle fortsätta att gå. Om han intresserat följde ett ilsket gräl mellan en man och en kvinna kunde han inte samtidigt flytta sig framåt.

När det började skymma befann han sig i utkanten av staden. Bakom en halvt nerfallen grind i en mur såg han några träd. Han tänkte att han kunde klättra upp där, osäker om staden kanske hade sina egna rovdjur som jagade de hemlösa om nätterna. Men när han försiktigt hade smugit sig in genom grinden hade han upptäckt att han befann sig på en kyrkogård. Det liknade inte den plats där de hade begravt sina döda i den brända byn, enkla uppkastade jordhögar, kanske prydda med några sammanknutna pinnar som formade ett kors. Här var gravarna murade, med ingjutna och spruckna, halvt förvittrade fotografier i porslin. Många av gravarna hade fallit sönder. Det var som om han befann sig på en kyrkogård för döda gravmonument, inte för människor som hade återförenats med sina andar. En del av gravarna var så stora att de liknade små hus, alla prydda med vita gipskors, några med järngaller framför sina öppningar. Han hade varit mycket trött, bland gravarna hade han sett andra människor rulla ihop sig under filtar eller sönderskurna pappkartonger. Utanför några av gravhusen lagade kvinnor mat över eldar medan deras familjer väntade i bakgrunden. Nelio insåg att trädet han hade sett från gatan inte var tillräckligt högt att klättra upp i. Ett av gravhusen som var nästan helt förfallet verkade övergivet. Där kröp han in och kurade ihop sig i mörkret. Han somnade nästan genast, i trygg förvissning om att han var omgiven av människor och andar som inte ville honom något ont.

När han vaknade i gryningen upptäckte han att han inte var ensam i det smutsiga gravhuset. Det låg en man vid den andra väggen. Han hade en madrass och en filt som han hade dragit upp till hakan. På en galge hade han hängt sina kläder, en kostym, en vit skjorta och en slips att ha runt halsen. Där fanns också en rakspegel insatt i gravhusets vägg där en tegelsten hade fallit bort. Nelio satte sig försiktigt upp och gjorde sig beredd att smyga iväg, när han plötsligt upptäckte mannens ena fot som stack fram under filten. Först trodde han att mannen sov med sina skor på fötterna. Sedan, när han försiktigt böjde sig fram och tittade närmare efter, insåg han att det inte var några riktiga skor. Mannen hade målat skor på sina fötter, vita skor, med röda bårder och blå skosnören. Nelio betraktade häpet skofoten som stack fram. I samma ögonblick vaknade mannen med ett ryck och satte sig upp på madrassen. Han var mycket mager och hade skarpa, genomträngande ögon. Nelio fick en känsla av att han hade slitit sig ur sömnen som en brottare tar sig ur sin motståndares grepp.

– Vem är du? frågade mannen. Du låg här i natt när jag kom hem. Jag ville inte väcka dig. Även om det är mitt hus. Jag är en vänlig man.

– Jag visste inte att det var någons hem, svarade Nelio.

– Alla hus i den här staden är någons hem, svarade mannen. Här finns så många människor och så få hus.

– Jag ska gå, sa Nelio.

– Varför sitter du och ser på mina skor? frågade mannen.

– Jag trodde det var ett par fötter, svarade Nelio. Men nu ser jag att jag tog miste.

– Jag sover alltid i mina skor, sa mannen. Annars är risken stor att någon stjäl dem. För att stjäla mina skor måste tjuven tyvärr också hugga av mina fötter. Det vore en stor olycka.

Sedan visade han Nelio hur han hade ett snöre bundet mellan galgen där kostymen hängde och sitt ena pekfinger. Om någon under natten hade försökt stjäla kostymen skulle han ha vaknat.

– Du kan kalla mig senhor Castigo, sa mannen och reste sig upp och började klä sig. Har du något namn? Kan du någonting? Eller är du lika trög och okunnig som alla andra människor?

– Jag heter Nelio.

Sedan funderade han på vad han egentligen kunde.

– Jag kan bära väskor på huvudet, svarade han.

Senhor Castigo betraktade honom roat.

– Ett utmärkt yrke, svarade han. Världen behöver människor som kan balansera väskor på sina träskallar till huvuden. Kan du hålla en spegel utan att tappa den?

Nelio höll spegeln medan senhor Castigo konstfärdigt knöt sin slips.

När han var nöjd nickade han belåtet åt spegeln, hängde tillbaka den på väggen och vek ihop sin filt. Därefter gjorde han tecken åt Nelio att följa honom. Just innan de passerade grinden som hängde på sned i sina gångjärn stannade mannen med de målade skorna och betraktade honom.

– Du är för ren, sa han sedan, böjde sig och tog jord i händerna, som han därpå gned in i Nelios ansikte. Nelio försökte göra motstånd, men senhor Castigo högg honom hårt i armen.

– Vill du leva, vill du överleva, eller vad vill du? frågade han. Jag kan se på dig att du nyss har kommit till staden. Nu ger jag dig en möjlighet att överleva. Om du gör som jag säger. Förstår du?

Nelio nickade.

– Gå några steg bakom mig, fortsatte senhor Castigo. Vi känner inte varandra. Stanna när jag stannar, gå när jag går. Kom ihåg det så länge. Resten ska jag lära dig senare.

De gick in mot staden. Vid ett gathörn stannade senhor Castigo och köpte en lök. Nelio gjorde som han blivit tillsagd, han stannade några meter bakom, och fortsatte sedan att följa efter mannen med de målade skorna. De gick nerför de branta backarna tills de nådde en av de stora gator som Nelio kände igen från dagen innan. De passerade ett kafé där det satt många vita människor och drack ur glas och koppar. När de hade lämnat kaféet bakom sig, drog senhor Castigo plötsligt med sig Nelio in i en mörk trappuppgång där det stank av urin.

– Att bära väskor på sitt huvud är ett ärligt arbete som anstår människan, sa senhor Castigo och log. Men nu ska jag lära dig grunden för allt mänskligt arbete, den hederligaste syssla en människa kan ha.

– Det vill jag gärna lära mig, svarade Nelio.

– Att tigga, fortsatte senhor Castigo. Att väcka medlidande genom sin smuts och sitt elände och sin hunger. Att hjälpa sina medmänniskor till givmildhet. Nu går du ut på gatan. När det kommer några vita människor sträcker du fram handen, du gråter och du ber om pengar. Till mat, till dina syskon som du ensam har ansvar för. Din far är död, din mor är död, du är helt ensam i världen. Förstår du?

– Min mor lever, hade Nelio protesterat. Kanske min far också.

Senhor Castigo blev med ens rasande. Hans ögon flammade.

– Vill du leva, vill du överleva, eller vad vill du! röt han medan han skakade Nelio, och hans hand om armen var som en klo. Om jag säger att de är döda så är de döda. Just nu, i detta ögonblick, när du tigger.

– Jag kan inte gråta utan orsak, sa Nelio.

Senhor Castigo tog upp löken ur fickan, slet den itu med sina tänder och grep sedan hårt om Nelios nacke. Han gned löken mot Nelios ögon tills det sved och brände och blicken blev immig av tårar. Därefter knuffade han ut Nelio på gatan. Han försökte sedan göra som han blivit tillsagd, han sträckte fram sin hand mot de vita som passerade, han försökte mumlande förklara att han inte hade ätit på flera dagar, på en vecka, på en månad. En kvinna tvärstannade, hon var mycket tjock och hennes hud var alldeles skär.

– Nu ljuger du, sa hon. Hade du inte ätit på en månad så hade du varit död för länge sedan.

Sedan gick hon, utan att ge honom någonting.

Senhor Castigo höll sig i bakgrunden. Varje gång någon stannade och började leta i fickorna för att ge Nelio en sedel, närmade han sig, som om han just skulle passera, och återvände sedan hastigt till den bakgrund varifrån han hade kommit.

Det var först efteråt som Nelio förstod vad som egentligen hände. Mitt på dagen, när hettan var mycket stark, och Nelio vacklade av trötthet och brist på vatten, sa senhor Castigo att de skulle gå därifrån för att vila. De gick ner till de hamnkvarter som Nelio hade sett på avstånd dagen innan. I en husvägg fanns ett draperi av vita plastband som senhor Castigo förde åt sidan. Inne i rummet var det mörkt. Nelio hade svårt att se eftersom ögonen fortfarande sved. En kvinna som var tandlös och smutsig och luktade som jäsande vin, kom fram med en flaska öl och en tallrik med mat åt senhor Castigo. Han gav besked om att Nelio skulle ha en bit bröd och vatten. När han skulle betala tog han upp en plånbok ur fickan och log.

– Minns du mannen med den blå hatten som inte ville ge dig något? frågade han.

Nelio nickade. När han såg plånboken anade han utan att fortfarande helt förstå. Senhor Castigo hade druckit så mycket under måltiden att han hade blivit berusad. Nelio kände ett tilltagande obehag över att befinna sig i hans sällskap. Även om han inte visste vad han skulle göra ville han inte tigga. Han kunde inte förstå att det var den hederligaste syssla en människa kunde ha. Varför hade då alla i den brända byn talat om tiggare med förakt eller medlidande? Det kunde ofta vara svårt att skilja känslorna åt.

Plötsligt tog senhor Castigo upp ännu en plånbok ur fickan, och ännu en, den här gången en röd börs som hade tillhört en kvinna. Nelio insåg, utan att kunna förstå hur hans fingrar bar sig åt, att mannen med de målade skorna var en ficktjuv. Det var därför han hade närmat sig de människor som stannat för att ge pengar till Nelio och sedan hastigt dragit sig undan igen. Genast bestämde Nelio sig för att rymma från senhor Castigo. Det måste finnas något annat sätt för honom att överleva i staden. Men det var som om mannen på andra sidan bordet kunde tränga in i hans tankar. Han lutade sig över bordet, grep Nelio om hakan med ena handen och såg på honom med glansiga ögon.

– Tänk inte ens tanken, sa han. Tänk inte ens på att försöka rymma. Vad du än gör så hittar jag dig. Varenda polis i den här staden är min vän. Om jag säger åt dem att de ska leta efter dig så gör de det. Tänk inte ens tanken.

Han släppte greppet och ägnade sig sedan åt att dricka mer öl och tömma plånböckerna på deras innehåll. Den tandlösa kvinnan kom och ställde sig vid sidan av och betraktade det hela. Då och då försökte hon nappa till sig några av sedlarna, men senhor Castigo var hela tiden vaksam och slog till hennes hand. Det var som en brutal lek dem emellan. Nelio hade dragit sig tillbaka på sin stol, så djupt in i skuggorna han kunde komma. Han hade svårt att förstå att en tjuv kunde vara god vän med poliser. Kanske det var så i staden, att det var tvärtom mot annars, försökte han tänka. Men ändå var han säker på att senhor Castigo hade sagt som han gjort för att skrämma honom. Om han inte gav sig av nu skulle allt bli mycket värre. Snart skulle han vara blind av all den lök som gneds in i hans ögon.

Tillfället kom när senhor Castigo hade somnat på andra sidan bordet. Huvudet hade fallit bakåt mot väggen, han snarkade med öppen mun. Den tandlösa kvinnan hade försvunnit in i ett bakrum från vilket det luktade bränt fett. Nelio reste sig försiktigt från stolen och retirerade baklänges mot dörren. Försiktigt drog han plastförhänget åt sidan. En solstråle vidrörde hastigt senhor Castigos ansikte utan att han vaknade. Så fort Nelio hade kommit ut på gatan började han springa. I varje ögonblick väntade han sig att senhor Castigos hand skulle hugga honom i nacken. Eller mannen med de hopknipna ögonen som hade återvänt från de dödas värld för att ta hämnd. Eller mannen utan tänder. Nelio sprang så fort han kunde. Först när han var långt borta, begravd av människomassorna som ständigt flockades utanför den stora marknaden, stannade han upp och hämtade andan. Han drack vatten ur en av de trasiga fontänerna, fångade vattenstrålen som sprutade ur den konstgjorda fisken med munnen, och tvättade sedan svetten ur ansiktet. Hela tiden försökte han göra sig osynlig. Han spanade åt alla håll och tänkte att senhor Castigo säkert skulle komma efter honom. Det fanns också gott om poliser utanför marknaden. Nelio upptäckte att de hade samma sorts vapen som de han hade sett banditerna bära. Ett av de vapen som han fått i sina händer när han skulle skjuta Tiko. Hur kunde det komma sig att poliserna och banditerna hade samma sorts vapen? Kunde det stämma att poliserna verkligen var ficktjuvens vän? När poliserna kom alltför nära fontänen försvann han därifrån. Han hade de sedlar han tiggt ihop i sina fickor. När han räknade dem såg han att det var en fjärdedel av det han fått av Yabu Bata för att köpa ett par byxor. Det skulle räcka till mat under två dagar, om han åt så lite som möjligt. I två dagar skulle han leva som en tiggare. Sedan måste han bestämma sig för vad han skulle göra för att överleva.

Han följde en av de långa gatorna som följde stranden ut ur staden. Den var kantad av palmer och söndervittrade bänkar. Men det svalkade från havet och palmerna gav skugga. Han såg en trappa som ledde direkt ner till vattnet. Där satte han sig och doppade sina såriga fötter i vattnet. Men han vågade inte stanna där länge. Om senhor Castigo upptäckte honom skulle han vara förlorad. Hans enda utväg skulle då vara att kasta sig ut i havet.

Den natten sov han i en rostig bil som stod på en gata i utkanten av staden. När han var säker på att ingen annan fanns där kröp han in i det som fanns kvar av baksätet och försökte göra det så bekvämt som möjligt. Råttor prasslade runt honom. Han sov oroligt, drömmarna trevade på honom som närgångna fingrar. Han såg sin far i drömmarna, byn hade funnits där och den hade inte varit nerbränd. Någonstans i närheten fanns också hans mor, även om han ännu inte kunde se henne. Det hade varit en av de klara och molnfria dagarna. Men något hade varit fel, det hade känts som en kall vindpust i drömmen. Först hade han inte vetat vad det var som var fel. Sedan hade han insett att solen var borta. Han hade sett upp mot himlen. Ljuset hade varit mycket skarpt men det hade inte haft någon källa. Det var någon som skurit ut solen, tagit bort den från himlen. Men var kom då ljuset ifrån? I samma ögonblick hade han insett att det egentligen var natt, det var banditerna som hade kommit, plötsligt hade de funnits runt honom, och han hade försökt springa undan.

Han vaknade av att han slog ena knäet i en utskjutande stålkant i bilen. Han såg en herrelös hund som stod och betraktade honom utanför bilen. På avstånd hörde han någon som skrattade, en radio som stod på. Det måste vara mitt i natten. Drömmen gjorde honom sorgsen. Han tänkte att det svåraste var ensamheten. På något sätt skulle han säkert kunna skaffa sig något att äta för att överleva. Men hur skulle han kunna bota sin ensamhet? Han lämnade bilen i gryningen utan att han hade något svar.

Samma dag hittade han den staty som skulle bli hans hem under den tid han levde i staden. Under sin planlösa vandring bort från den hotande skuggan av senhor Castigo, på jakt efter ett botemedel mot ensamheten, hade han kommit till en del av den centrala staden som han ännu inte hade passerat. Inklämd mellan de höga husen hade han funnit en liten öppen plats, ett nästan cirkelrunt torg. I mitten hade det stått en hög ryttarstaty. Nelio hade tidigare aldrig sett någon staty och heller ingen häst. Först trodde han det var en åsna. Men när han dristade sig att fråga en av de gamla män som satt vid statyns fot, i skuggan av det väldiga djuret, om det verkligen fanns så stora åsnor hade de skrattat åt honom.

– Den största åsnan är en som ställer en sådan fråga, hade de svarat och skrockat belåtet över sin fyndiga elakhet. Nelio insåg att han hade ställt en tanklös fråga. Han visste från tidigare att gamla män fann ett stort nöje i att beslå de unga med dumhet. En av de gamla, en man med käpp och skrällande hosta, hade dock förklarat för honom att det var en häst, en arabisk *cavalo*, och att mannen som satt på hästen var en berömd härförare som tillhörde den beryktade guvernören Dom Joaquims förfäder. Han hade också fått veta att det hade blivit något fel i de unga revolutionärernas kampanj för att riva och forsla bort de statyer som på ett misshagligt sätt påminde om den tid som nu var över.

– Men man utrotar inte statyer, sa den gamle mannen tankfullt. Man utrotar inte en staty som man trampar ihjäl en insekt. Man kan forsla bort dem, smälta ner dem. Men utrota dem kan man inte.

Nelio fick veta att statyn hade blivit bortglömd. Det hade efteråt utbrutit ett stort gräl om vem som egentligen bar ansvaret, och det grälet pågick fortfarande. Under tiden hade statyn fått bli stående. Nelio gick runt den, varv efter varv. Mannen som satt på hästen hade en hjälm på huvudet och ett draget svärd som han riktade mot en indisk butik som sålde tyger på andra sidan torget. Nelio satte sig vid foten av statyn, på lämpligt avstånd från de gamla männen och tänkte att här, vid den kvarglömda statyn, ville han stanna. Det lilla torget, där människorna plötsligt slutade springa och gick långsamt och värdigt, där bilarna var få och stadens alla ljud dämpades av de höga husen som omgärdade torget; här ville han stanna. Det var som lugnet bakom en av de sanddyner vid havet där han sovit under sin långa vandring mot staden. Eller en glänta i en av skogsdungarna av svarta träd som funnits i närheten av hans by. Han satt hela eftermiddagen vid foten av statyn, flyttade sig samtidigt som de gamla männen när skuggan rörde sig, och betraktade det som hände på torget. Han såg de indiska handelsmännen och deras kvinnor med slöjor över håret och axlarna, orörliga i dörröppningarna till sina mörka butiker, väntande på kunder. I skuggan under de höga akaciorna satt kvinnor på sina bastmattor och hade byggt små pyramider av de frukter, grönsaker och *cassava*-rötter som de sålde. Runt dem kröp deras barn. När någon av kvinnorna somnade i värmen tog genast en av de andra kvinnorna över tillsynen av barnet. Ofta satt de tysta, ibland sjöng de, då och då bröt de ut i våldsamma gräl som slutade lika hastigt som de hade börjat. Nelio förstod inte allt vad de sa, deras språk var olikt hans eget. Men av de gamla männens föraktfulla kommentarer kunde han förstå att kvinnorna var sin natur trogna och grälade om allt som var oviktigt. Om detta började sedan de gamla männen att inbördes gräla med varandra, om vad som kunde anses vara av värde i livet.

På andra sidan torget fanns en liten kyrka där en svartklädd präst då och då kikade ut genom porten, som om han väntade att kyrkan skulle få oväntat besök av oroliga själar som behövde tröst. Men ingen kom och han slog igen porten för att en stund senare titta ut igen. Prästen var en vit man, skäggig men helt utan hår på huvudet.

I de övriga husen runt torget bodde människor, många människor. Överallt hängde tvätt, barn skrek och lekte på trottoarerna. När de blev för högljudda hötte de gamla männen åt dem, men barnen märkte det knappt. Vid flera tillfällen kände Nelio en brinnande lust att springa bort till dem och delta i deras lek. Men han visste att han inte längre kunde. När han kom till staden hade han lagt ifrån sig sin barndom, sin egen ålder, som ett osynligt skal på stranden där han sovit den sista natten innan han uppslukats av gatorna. Att han satt i ryttarstatyns skugga tillsammans med de gamla männen var ett tecken på den stora förändring som inträffat den natt banditerna hade bränt byn. Här på den öppna platsen tyckte han sig nu för första gången behärska den oro som uppfyllde honom. Det var som om han hade funnit en by mitt inne i staden.

Samma kväll hade han också hittat sitt hem. De gamla männen hade en efter en rest sig och försvunnit i mörkret, mot de kyffen där de tillbringade sina nätter. Solen hade gått ner, de indiska handelsmännen hade tveksamt, nästan sorgset tvingats inse att de sista kunderna hade gått, och låst sina dörrar och dragit för de tunga gallergrindarna. I deras ställen kom de svarta nattvakterna, i långa trasiga rockar och packade upp sina påsar med filtar och flottiga kycklingben. De tände sina eldar och började koka te. Först när de indiska handelsmännen hade försvunnit i sina bilar, hade de ätit och sedan lagt sig till rätta för att sova. Barnen slutade sin lek, kallades in av sina mödrar, tvätten plockades ner, doften av curry och piri-piri blandades med vinden från Indiska oceanen. Nelio var till slut ensam vid sockeln till ryttarstatyn. Han hade ätit en bit kyckling som han köpt av en man som hade sitt kök vid en koleldad gammal oljetunna. Han ville inte lämna den plats han hittat när han flytt från senhor Castigo, och tänkte att man bara när man flydde hittade världens hemligheter, som annars skulle förbli okända.

I skymningen upptäckte han plötsligt en lucka under hästens buk, strax intill det lyftade frambenet. När han drog i det rostiga handtaget öppnades luckan, och han förstod att statyn saknade inälvor, där var bara ett tomt rum. Han kröp in i hästen. Svaga ljusstrålar, som från stjärnor, lyste in genom hästens näsborrar och den hjälmprydde svärdsmannens ögonhålor. Han visste genast att han hade hittat sitt hem. Statyn var så stor att han kunde resa sig raklång inuti. Han kände en stor glädje över att ha hittat detta hem. Ovanför hans huvud skulle alltid finnas en man med draget svärd som vakade över honom. I hästens inre skulle hans drömmar kunna färdas tryggt. Här skulle han kunna bli vuxen, skaffa sig en hustru, se sina barn växa upp. Hans tankar den natten var många. Oron gav långsamt vika. När han till sist somnade vilade hans huvud mot hästens vänstra bakben, och det krumma knäet var en kudde mot hans nacke.

Han vaknade i gryningen av att en man skrattade som en vansinnig utanför statyn. När han kröp ut ur luckan under hästens buk, såg han att det var den svartklädde prästen utanför den lilla kyrkan som oroligt gick fram och tillbaka utanför porten. Han gestikulerade med armarna och förde ett mumlande samtal som om han inte varit ensam utan haft en osynlig människa vid sin sida. Han grälade, slog ut med armarna i ilska, och då och då bröt han ut i sina vansinniga skratt. Nelio tänkte att han grälade med de onda eller osaliga andar som samlats utanför hans kyrka under natten. Men senare, när de gamla männen hade återtagit sina platser i skuggan av statyns sockel, fick han veta att den gamle prästen som hette Manuel Oliveira för många år sedan hade tappat förståndet. När de unga revolutionärerna hade tagit makten och marscherat in i staden hade han drabbats av ett ögonblickligt vansinne, om av rädsla eller ilska, kunde man dock inte svara på. Han hade fört så ursinniga förkastelsepredikningar över de unga revolutionärerna från sin kyrka, att ingen i hans gamla menighet till slut vågade besöka hans mässor, av rädsla för att de skulle gripas av den säkerhetspolis som revolutionärerna omedelbart hade skapat och gett betydande befogenheter att bevaka och fängsla oliktänkande, främst de som ansåg att den gamla koloniala tiden hade varit den goda tiden.

Manuel Oliveira hade dock fortsatt sina predikningar även om det hade skett inför tomma bänkar. Ibland hade någon från säkerhetspolisen besökt hans utdragna mässor, varpå Manuel, eldad av att ha någon att tala till, hade ökat intensiteten i sina våldsamma angrepp. Till en början hade man visat tolerans mot den gamle prästen som drabbats av ålderdom och vansinne. Man hade nöjt sig med att utfärda ett allmänt förbud mot att någon besökte kyrkan och lät honom predika i sitt tomrum. Men när han hade börjat predika utomhus, utanför kyrkporten på en trälåda, hade man fått nog. Manuel Oliveira hade skickats till ett korrektionsläger för oliktänkande i de avlägsna norra provinserna. Under en kort period hade man också hotat honom med att han skulle skjutas på trappan till sin kyrka om han inte upphörde med sina vettlösa utfall mot den nya ordningen. Ingenting hade hjälpt. Till slut hade han fått återvända till sin kyrka. Man tänkte att han skulle tröttna, vilket han till sist också gjorde. Nu tillbringade han dagarna under tystnad inne i kyrkan, i en ständig och fåfäng väntan på att hans Gud skulle förklara för honom varför hans kyrka var tom, vad det var som egentligen hade hänt. Det var bara i de tidiga morgontimmarna som vaga rester av hans tidigare vansinne återkom. För nattvakterna var det den regelbundna signalen för att de skulle vakna och invänta de indiska handelsmännens återkomst. De skulle då betyga att allt hade varit lugnt och att de inte sovit utan varit beslutsamt vaksamma under hela natten. Sedan, ungefär samtidigt som Manuel Oliveria försvann in till sin tystnad i den tomma kyrkan, packade nattvakterna samman sina filtar och skyndade till de arbeten de utförde under dagen. Allt detta berättade de gamla männen för Nelio, och ingen tycktes ana att han hade hittat ett hem i den staty som skyddade dem mot solen. Han såg hur en av kvinnorna i huset intill kyrkan ställde ett fat med mat utanför kyrkporten och han tänkte återigen att det var som hemma i den by banditerna hade bränt.

Under den tid som följde lärde sig Nelio överleva i staden genom att hålla ögonen öppna. Vid ett tillfälle återsåg han senhor Castigo, som hade varit mycket berusad, och hans kostym hade varit fläckig och trasig. Han fruktade honom inte längre.

Nelio tillbringade mycket tid med att se på sina jämnåriga som levde på gatorna. På avstånd följde han deras möda med att tvätta bilar, tigga, sälja och stjäla det de kunde komma åt. Han lärde sig hur de äldre pojkarna styrde över de yngre, och han tänkte att det var bland dem han hörde hemma. Under sina vandringar i staden hade han också kommit till kvarter där allt var mycket stilla, där gatorna inte var fulla med sopor eller hål. Stora vita hus, utan sprickor, låg inbäddade i vidsträckta trädgårdar, dolda bakom höga gallerstaket. Också där fanns barn, i samma ålder som han själv. Men han upptäckte snart att de inte såg honom, deras ögon såg rakt igenom honom. Det var bland de andra, de som liksom han själv levde för att överleva, som han hörde hemma.

Han hade också förstått att det var mycket svårt för barn som plötsligt bara fanns där på gatorna att tränga sig in och bli accepterade av dem som redan levde där och vakade över sina revir. Många stöttes bort, blev slagna, drog sig undan, men återvände eftersom de inte hade någonstans att fly. Till slut försvann en del av dem, och ingen frågade efter dem. Nelio låg ibland vaken i hästens buk med huvudet lutat mot det vänstra bakbenet och funderade på om det fanns en särskild himmel för de gatubarn som försvann spårlöst. En värld av bara gatubarn, där de kunde fortsätta sina envetna dansande, hungrande och skrattande liv.

Nelio tystnade, nästan mitt i en mening. Det var nära gryningen, himlen i öst hade redan börjat skimra i det svaga rödgula ljus som förebådade solen. Jag kunde se på hans ansikte att han var mycket trött, och jag trodde att han redan hade sjunkit ner i sömnen när han plötsligt började tala igen.

– Tillfället kom oväntat. En dag fick jag möjligheten att komma med i en grupp gatubarn, dem som du redan känner till, de som finns här utanför på gatan. En dag hände något som förändrade allt. Det var en ren tillfällighet att jag var där. Men består inte livet av en lång kedja av tillfälliga ögonblick?

Jag väntade på en fortsättning. Men den kom aldrig. Nelio hade slutit ögonen. Snart sov han. Hans andhämtning var flämtande. Jag fruktade redan för vad jag skulle få se när jag åter bytte hans bandage. Men ändå visste jag att livet fortfarande höll honom kvar. Han skulle aldrig lämna mig i ovisshet om vad som hade hänt när han blev en i den grupp av gatubarn som levde och gjorde sina konster på gatan utanför teatern och bageriet.

Jag visste att det fanns en fortsättning.

Jag reste mig, gick fram till kanten av taket och såg ut över staden. Jag märkte att jag var mycket trött.

Senare den dagen, när jag hade varit på mitt återkommande besök hos fru Muwulene, besökte jag torget där ryttarstatyn stod. De gamla männen satt där i skuggan, allt var som Nelio hade beskrivit det. Jag satte mig intill hästens ben och såg luckan som ledde in till Nelios hemliga rum. Ett kort ögonblick kände jag mig frestad att öppna och krypa in. Men jag gjorde det aldrig. Det hade varit att kränka honom. Jag gick hastigt därifrån. Av en av de retsamma flickorna hade jag lånat pengar för att köpa mat. Det var ännu tio dagar kvar tills Dona Esmeralda kanske skulle betala mig min lilla lön, om hon för tillfället hade några kontanter, vilket inte alltid var självklart.

Dagen var mycket varm. Ett åskväder tornade upp sig vid horisonten. Jag skyndade mig tillbaka till taket där Nelio låg, djupt försänkt i sömn, och riggade upp det regnskydd jag tidigare hade tillverkat av gamla mjölsäckar.

Jag hade precis blivit färdig när regnet kom.

Men Nelio märkte det inte. Han sov.

Den femte natten

Regnet hade dragit bort och natten som var frisk och klar hade sänkt sig över staden. Jag hade sovit några timmar intill skorstenen, på gamla tidningar eftersom taket fortfarande var fuktigt efter det häftiga regnet. Klockan närmade sig midnatt och jag skulle just gå nerför den vindlande trappan till bageriets värme för att kontrollera den slarvige degblandarens arbete, när Nelio plötsligt bröt tystnaden och sa att han behövde gå på toaletten. Eftersom han hade ätit så lite under de dagar och nätter han hittills hade legat på madrassen hade jag alldeles glömt att förbereda mig. Jag gick ner för trappan och ut på bakgården där en av de retsamma flickorna från bröddisken hade dröjt sig kvar med en av bagarna från dagskiftet. Jag påträffade dem i en situation som inte var alldeles enkel att bortse ifrån och jag märkte att jag rodnade, men grep sedan hastigt en av de hinkar som användes för att tömma sopor och återvände upp till taket. Bakom mig kunde jag höra bagarens ilska över att ha blivit störd och flickans generade fnitter. Jag rev av en bit tidningspapper och la bredvid hinken. Sedan hjälpte jag Nelio upp och lämnade honom ifred. När jag kom tillbaka hade han åter lagt sig ner på madrassen. Jag såg att han hade blivit svettig av ansträngningen och jag skämdes för att jag inte bättre hade ordnat det för honom.

– Ditt arbete väntar, sa han.

– Jag är snart tillbaka, svarade jag. Degblandaren vet inte hur mycket mjöl och hur lite salt som ska blandas för att brödet ska bli som Dona Esmeralda har bestämt.

Med hinken i handen gick jag därifrån. Det tog mig sedan två timmar att få ordning på nattens arbete. Degblandarens ögon var glansiga. När jag insåg att han hade rökt *soruma* och befann sig i ett land långt borta kunde jag inte behärska mig utan slog till honom rakt i ansiktet. Jag röt åt honom att jag nu hade fått nog och att Dona Esmeralda skulle ge honom ett omedelbart avsked när jag berättade för henne om hur opålitlig han var. Därefter gick allt ännu långsammare. Degblandaren kunde knappt stå på benen och jag fick själv släpa upp de tunga mjölsäckarna, eftersom jag inte vågade låta honom gå ensam till lagret. Dessutom var veden i ugnarna dålig den natten. Det tog lång tid innan jag hade fått upp värmen så att jag kunde skjuta in den första bakplåten. Jag kavlade degarna och bakade ut brödet så fort jag kunde. Men ändå var det redan långt lidet på natten innan jag kunde sparka ut degblandaren och återvända till taket. Nelio var vaken när jag kom. Till min glädje hade han ätit upp de frukter och den bit bröd med ett tjockt lager smör som jag lämnat åt honom bredvid madrassen. Han hade också satt på sig den skjorta jag tvättat åt honom tidigare under dagen. Jag tänkte att ett under kanske höll på att ske. Att han hade kunnat gå på toaletten tydde på att hans magsäck inte var allvarligt skadad. Att han åt innebar att livet höll på att återvända i honom. Kanske fru Muwulenes örter ändå höll på att läka hans sår.

Men när jag bytte hans bandage blev jag återigen nerslagen. Såren hade svartnat ytterligare, de varade sig och luktade mycket illa. Jag kände att jag måste säga till honom som det var, att han skulle dö om han inte snart fick tillsyn på ett sjukhus där läkare kunde skära ut de kulor som förgiftade hans kropp. Men han bara log och skakade på huvudet.

– Jag ska säga till när tiden är mogen, svarade han.

Jag försökte rengöra såren så grundligt som möjligt, utan att det gjorde alltför ont för honom. Jag kunde se hur han ansträngde sig till det yttersta för att inte visa smärtorna. Sedan la jag på de rena tygremsorna och gav honom vatten att dricka. Han sjönk tillbaka mot madrassen igen. I skenet från fotogenlampan kunde jag se hur utmärglat hans ansikte hade blivit under de fyra dygn han funnits i min närhet. Hans svarta hud spände över kindknotorna, ögonen tycktes ha dragit sig tillbaka i sina hålor, läpparna var spruckna och han hade också börjat fälla sitt krulliga hår. Jag tänkte att han måste vila istället för att ägna nätterna åt att berätta sin historia. Jag kunde inte förneka min nyfikenhet, jag ville ha hans ord, ett efter ett, eftersom jag anade att hans historia på något sätt också handlade om mig. Jag insåg att jag måste ge mig tåls. I tystnaden, när han lät berättelsen vila, skulle han ha större möjligheter att tillfriskna.

Men när han bad mig sätta mig ner på madrassen och fortsatte sin historia kom jag mig aldrig för att be honom sluta, tänka på sig själv och hur viktigt det var att han inte ansträngde sig. Som under de tidigare nätterna fortsatte han sin vandring, genom staden, genom sitt liv. Strax före gryningen föll några enstaka regndroppar. Men det var allt. Resten var en omgivande stillhet, då och då sönderbruten av hundar som skällde och lockade på varandra någonstans i mörkret.

Han hade ofta grubblat över den makt som tillfälligheten har över människan. De små orden *om* och *om inte* var viktigare än alla andra ord. Ingen kunde bortse från dem, ingen kunde förneka att de alltid fanns i en människas närhet som symboler för det oberäkneliga som formade våra liv. Han hade en morgon varit ute på en av sina planlösa vandringar genom staden, de som oftast gav honom de största upplevelserna, när han, alldeles i närheten av teatern och bageriet, hade fått syn på en grupp polismän som hade gripit en gatupojke och ursinnigt slog honom med sina svarta batonger. Nelio hade tidigare lagt märke till honom, han var ledare för en flock gatubarn och hans namn var Cosmos. Som de flesta andra som ledde sina grupper av barn och bevakade sitt revir var han några år äldre än de andra, kanske tretton eller fjorton. Nelio hade lagt märke till honom eftersom han sällan slog de mindre pojkarna, inte ens skrek åt dem eller bad dem springa ärenden åt honom i onödan.

När han nu såg honom bli slagen av poliserna, utan att veta vad som hade hänt, visste han att han måste hjälpa honom. Hastigt försökte han tänka ut vad han kunde göra. Återigen kom tillfälligheten honom till hjälp. Han hade stått i ett gathörn där det fanns ett stoppljus som reglerade trafiken som just här var mycket intensiv. Några veckor tidigare hade han en gång sett hur stoppljuset blivit reparerat. Två män i overaller hade öppnat ett rostigt järnskåp som stod intill stoppljuset, och de reglerade ljuset genom att slå av och på några strömbrytare. Låset hade redan då varit trasigt. Men ingen som inte visste om det kunde se det. Han hade inte vidare betänkt sig, utan sjunkit ner på knä vid plåtskåpet, som om han likt alla andra gatubarn bara satte sig eller la sig rakt ner på gatan och sov när han blev trött. Han lirkade försiktigt upp plåtdörren, stack in sin smala arm, hittade strömbrytarna och började vicka på dem, medan han låtsades sova. Det utbröt omedelbart kaos i trafiken, det röda och det gröna ljuset tycktes invecklade i tvekamp, bilar fastnade i en komplicerad härva mitt i den breda korsningen, alla tutade, köerna blev omedelbart mycket långa och de som satt i sina bilar och inte kunde se vad som hade hänt, steg ut på gatan och började upprört gräla på den som råkade stå i närheten. Poliserna uppfattade att något hade inträffat, de såg det våldsamma kaos som utbrutit i gatukorsningen, släppte Cosmos, och gav sig in i oredan. Då hade Nelio redan slunkit undan från plåtskåpet, stoppljusen fungerade åter som de skulle, och ingen kunde senare förklara vad som hänt. Cosmos, som var svullen och ursinnig och tårögd, satt på trottoarkanten när Nelio kom fram till honom och slog sig ner vid hans sida. Sedan berättade han vad han hade gjort. Nelio hade den gången aldrig tvekat om att han skulle bli trodd. Han tog heller inte miste. Cosmos började skratta och när de andra pojkarna i den luggslitna flocken hade samlats runt honom, berättade han vad som hade hänt.

– Vem tillhör du? frågade han Nelio.

– Jag tillhör ingen.

– Nu tillhör du oss.

Från det ögonblicket hade Nelio lämnat den stora ensamheten bakom sig. Han hade börjat ett liv tillsammans med Cosmos, Tristeza, Mandioca, Pecado, Nascimento och Alfredo Bomba. Med dem delade han nästan allt. Det enda han behöll för sig själv var sin staty. Cosmos undrade till en början varför han inte sov på pappkartongerna i trappuppgången till justitiedepartementet som de andra. Nelio hade då svarat att han hade en sjukdom som gjorde att han måste sova på olika ställen varje natt. Han hade sagt det så övertygande att Cosmos omedelbart hade trott honom. Han hade visserligen föreslagit att de skulle försöka samla ihop så mycket pengar att de kunde besöka en *curandeiro* som skulle bota den märkliga sjukdomen. Nelio hade utan att betänka sig svarat att han ingenting hellre önskade, eftersom han visste att de aldrig skulle lyckas få ihop pengarna.

Nelio fann sin plats i flocken utan att han gjorde intrång hos någon annan. Alla hade sin position att bevaka, den kunde försvagas eller förskjutas uppåt, fast det var hela tiden Cosmos som bestämde, ibland nyckfullt, ibland klokt och med gott omdöme. Men Nelio svävade från första stund i sina egna banor i flocken. Först Cosmos, och därefter också de andra, till och med slutligen Tristeza, som hade ett långsamt huvud, insåg att Nelio inte var som någon annan. Han var som människa sin egen ras. Han betedde sig som de andra, han lärde sig snart deras språk och vanor, men han var ändå en främmande, och han var det på ett sådant sätt att ingen ens tänkte tanken att fråga sig varför det var på det viset.

Cosmos hade en natt en dröm som han först lång tid efteråt berättade för Nelio, men aldrig för de andra. Han hade drömt att Nelio hade varit en soltorkad människa, som en frukt eller en fisk, som smakade bättre än allt annat, och som varade lika länge som någon var hungrig. Cosmos frågade om Nelio kunde förklara drömmen för honom. Han gjorde det vid ett tillfälle när de var ensamma, för det var annars inte bra för honom att som ledare för flocken ställa frågor. Det var han som skulle ha alla svar. Men Nelio hade sagt att drömmen säkert hade varit en gudomlig ingivelse som bara Cosmos själv kunde tolka. Själv hade han inte den förmågan, han kom från de avlägsna trakter där människor mycket sällan fick gudomliga uppenbarelser i sina drömmar. Cosmos blev så berörd av svaret att han påföljande söndag gav hela flocken order om att tvätta sig och sedan följa honom till den stora katedralen för att delta i aftonbönen. Men när Tristeza inte längre kunde hålla sig för skratt och Alfredo Bomba hade somnat på kyrkans stengolv blev de utkastade, och de återvände aldrig.

– Gud finns även i soptunnorna, hade Cosmos föraktfullt ropat till den kyrkotjänare som ilsket hade kastat ut dem. Därefter hade de sprungit så fort de kunnat, åt olika håll för att försvåra infångandet, och sedan samlats igen utanför teatern. Cosmos hade varit så ilsken att han till och med låtit bli att ge Mandioca stryk och förlåtit honom för att han under flykten tappat den liturgibok som Cosmos hade snappat åt sig ur en av de mörkklädda padrernas vida rockfickor och sedan snabbt skickat vidare till Mandioca som hade de största byxfickorna. Lång tid efteråt hade han sedan grubblat över möjligheten att starta en egen religiös rörelse, som enbart skulle beröra gatubarnens liv. Genom honom skulle de luggslitna flockarnas gud som måste finnas någonstans återfödas. Men eftersom de gick mot den varmaste tiden av året hade han till slut funnit det hela alltför ansträngande och låtit saken bero.

Cosmos hade genast förstått att Nelio inte hade sökt sig till flocken för att vid något lämpligt tillfälle utmana hans ledarskap och gripa makten. Till en början gjorde det honom osäker, eftersom han tidigare aldrig hade upplevt det, eller ens hört talas om det. Han misstänkte till en början att Nelio hade lurat honom, och bad i hemlighet Pecado och Mandioca att med försåtliga frågor försöka ta reda på om Nelio var någon annan än den beskedlige och tillbakadragne person han utgav sig för. Men till slut hade han blivit övertygad att Nelio var den märklige person han fått intryck av när de träffats första gången. Nelio var ingenting annat än den han var. En sådan människa hade han aldrig tidigare mött. Hur kunde en människa vara precis den hon var? Frånsett hans egendomliga sjukdom tycktes han inte ha några oväntade hemligheter. Om alla dessa tankar berättade Cosmos själv för Nelio, långt senare, när han planerade att i största hemlighet lämna flocken för att börja sin långa resa till en annan värld. Nelio hade blivit förvånad över det han hade fått höra. Han hade aldrig kunnat föreställa sig att hans närvaro i flocken hade kunnat väcka så många känslor hos Cosmos. Däremot hade han under lång tid upplevt att de andra i flocken, framförallt Nascimento och Pecado, och senare även Deolinda, när hon hade tvingat sig in i gruppen, hade stora svårigheter att acceptera hans närvaro. Det var under den tiden ryktet föddes om att han hade en oöverträffad förmåga att undvika att få stryk.

Det var framförallt Nascimento som utmanade honom, den aggressive Nascimento som knappt kunde tala, och istället använde sina knutna nävar, sina hopp och sparkar, som det språk med vilket han beskrev och kommenterade den värld han tvingades leva i. Han bar namnet av sin egen tillkomst. Alla i flocken hade sin egen historia, alla var trots sin barndom fullgångna personligheter, och de ansågs vara den smutsigaste men också värdigaste gatubarnsflocken i hela staden. Långt senare hade Nelio förstått att det var denna värdighet i sina smutsiga och luggslitna trasor som så svårt hade retat upp polisen att de bestämt sig för att banka in fruktan i Cosmos, en fruktan som han sedan skulle sprida till de övriga i gruppen. Men polisen hade aldrig lyckats och Nelio kände det som om han levde i en vandrande, hoppande, dansande, skrattande fästning i vars skydd han liksom de andra var osårbar. Han hade långsamt lärt känna dem en efter en, och han hade förstått att de var vuxna trots att de var barn, att de var gamla män trots att de ännu knappt var könsmogna, för deras historier sträckte sig över avgrunder av erfarenheter, var och en hjälte, skurk och offer i sitt eget drama. Det sjöng om deras namn och deras svarta kroppar. Mandioca, den långe med de stora fötterna och det krökta lillfingret på vänster hand. Han hade de största byxfickorna och där lät han lökar och tomater gro. Den jord han hällt ner i fickorna vattnade han varje morgon, det droppade ständigt om honom, och det var hans besvärjelse, hans längtan att en gång kunna återvända till den by han inte mindes men som ändå fanns i djupet av hans medvetande, den by hans familj hade flytt ifrån när varningen kommit om att banditerna var på väg. De hade färdats i en buss, de hade varit många, och när de trodde sig vara i säkerhet hade anfallet kommit mycket plötsligt. Bussen hade börjat brinna, han hade blivit slängd i ett buskage, där han senare, halvdöd, uttorkad, hade hittats av några utländska nunnor som rabblat många böner och sedan tagit honom med till ett barnhem i staden. När han hade lärt sig att gå, han menade själv att det var för att rymma som han överhuvudtaget brydde sig om att lära sig att gå upprätt, hade han gett sig av på väg hem till jorden. Men han hade aldrig kommit längre än till stadens centrum, och han hade levt på gatorna sedan han var fyra år. Ofta hade han av olika välgörenhetsorganisationer från världens alla länder och den goda viljans människor tagits till olika barnhem, men han hade alltid rymt tillbaka till gatorna, eftersom han visste att det var från dem han en dag skulle påbörja vandringen hem igen. Han ville inte bada, ligga i en säng och få rena kläder. Han ville ha stora byxfickor som rymde den jord som var lika viktig för honom som hans eget blod. I varje människa han mötte på gatorna sökte han känna igen sin far eller mor utan att veta hur de såg ut. Han sökte sina syskon, sina bröder och systrar, sina farbröder och fastrar, sina kusiner och sina grannar, dem som han aldrig hade sett och som han inte ens visste om de överhuvudtaget fanns. Ofta kunde han försjunka i en ursinnig sorg. Men lika ofta kunde han balansera på de lejonprydda stenräckena utanför justitieministeriet och dansa till en musik som bara han själv kunde höra.

Om Mandioca var lång och hade jord i sina fickor var Nascimento hans raka motsats, liten och satt, med stenar och skarpslipade järnspetsar instuckna i håret och i de trasiga klädernas fransar. Nascimento vaknade varje natt skrikande, han såg förvridna monster komma emot sig ur mörkret. De andra som sov runt honom på pappkartongerna under de trasiga filtarna hade vant sig vid att de blev väckta varje natt. De turades om att tala om för Nascimento att där inte fanns några monster, där fanns inga banditer, där fanns bara den tomma staden och pappkartongerna och de trasiga filtarna. Om dagarna, när det var ljust, fortsatte Nascimento att jaga sina monster. Nu var de hans fruktan för den natt som ovillkorligen skulle komma, de oändliga rader av nätter och monster han skulle fortsätta att slåss mot så länge han levde.

Han sa aldrig ett ord i onödan, hade en rosa badhätta djupt nerdragen över ögonen och var alltid beredd på att alla som han mötte ville honom illa. Därför försvarade han sig genom att angripa, han slogs med allt och med alla, med de rostiga och trasiga bilarna, med soptunnorna, med råttor och kattor och hundar, och de andra i flocken. Det hände till och med att han ibland tappade fattningen och gav sig på Cosmos, som naturligtvis var mycket starkare och tvingades att doppa hans huvud i den trasiga kloaken på baksidan av den bilverkstad, där tjuvarna från förorterna beställde de nya skyltar de behövde till bilarna de stal om nätterna. Nascimento bar på en hemlighet som ingen kände till, knappt ens han själv. En enda gång, när han hade hittat en halvfull vinbutelj och druckit upp den i ett enda drag, hade han drabbats av en berusning som tycktes tvinga honom att avslöja åtminstone en del av sanningen, och Nelio som var den han talade med, förstod så småningom av de hackande, osammanhängande och illa formulerade meningarna, att Nascimento en gång hade tvingats göra det han själv hade undsluppit, att döda en annan människa för att själv få leva. Nelio anade att han hade tvingats att slå ihjäl sin egen far, med en träpåk eller en yxa, och att han sedan varit en av de fruktade barnsoldater banditerna alltid skickade framför sig när de attackerade en by eller en buss eller människor som arbetade på sina åkrar. Hur han hade kommit till staden var det ingen som visste. Men han hade inte kommit ensam, han hade redan från första dagen haft sin badhätta och sina osynliga följeslagare med sig, de monster som aldrig upphörde att plåga honom.

Pecado hade inga monster i sin hjärna, han hade dem i verkligheten, i en av förorterna till staden. Hans far hade försvunnit utan att lämna några spår efter sig, han tyckte sig bara kunna minnas att fadern skrattat när han lämnat skjulet där de bodde, för att aldrig mer återkomma. Ett ansiktslöst skratt var hans far. De hade varit sju syskon, hans mor sålde grönsaker på marknaden, hon steg upp klockan fyra på morgonen och gick till den gamla hopfallna tjurfäktningsstadion där hon kunde handla billigt. Sedan bar hon korgarna till marknaden och kom hem först när det redan var mörkt. Pecado såg henne aldrig skratta. Men han mindes henne inte heller ledsen, bara utarbetad, trött, övergiven. Om hans far var ett ansiktslöst skratt var hans mor ett ansikte där alla konturer slipats bort, näsan hade vittrat, ögonen, tänderna, och det leende som en gång måste ha funnits.

En dag hade en ny man kommit in i huset, allt skulle nu bli bra, en ny man, en far, som satt i skuggan och ropade på mat. Pecado började hata honom redan när han såg honom stiga över tröskeln, han ville inte ha någon *padrasto*, och mannen som steg in tycktes ha förstått hans tankar, för han presenterade sin närvaro genom att slå Pecado i golvet och vrida hans ena axel ur led. Sedan slog han alla syskonen i tur och ordning, han ägnade sina dagar åt att slå dem, medan modern var ute på sin eviga vandring med de grönsakskorgar som höll dem vid liv. Till slut hade Pecado fått nog, han bestämde sig för att leva upp till sitt namn, och slog en tegelsten i huvudet på mannen som flyttat in till hans mors madrass. Han slog med alla syskonens krafter samlade i sina händer, han hade varit sex år den gången, och sedan rymde han till gatorna, ty ingenting kunde ändå vara värre än att vara hemma. De första åren hade han hoppats att hans mor skulle söka efter honom. Men hon kom aldrig. Han såg henne bara på avstånd där hon satt vid sitt stånd och sålde *alface* och ibland också tomater. Men han återvände aldrig hem och till slut hade hans mor blivit ett lika oklart och avlägset minne som fadern med det ansiktslösa skrattet.

Så fanns där Alfredo Bomba, den minste, den enarmade. Han som hade fötts som en paria med en avklippt axel, i en annan stad, och kommit med en äldre bror till den stora staden för att söka, om inte lycka, så åtminstone mindre olycka. Han som ständigt gömde sig bakom ett obrutet gott humör, utom när han tiggde, för då grät han, och han kunde alla konster. Han saknade en arm, men de som såg honom tyckte till slut att han saknade allt, och de såg bara den framsträckta handen och la pengar där för sin egen frälsning. Han var den som varje dag kunde ge Cosmos den största andelen pengar, och det var hans stora livsuppgift, den bar han med glädje och stolthet, att alltid vara den som kunde bidra med mest. Vid hans sida fanns nästan alltid Tristeza, med det långsamma huvudet. Han var den hopplösa fattigdomens styvbarn, hans hjärna hade aldrig fått den föda den behövde lika mycket som syre, han hade aldrig lärt sig tänka annat än mycket långsamt. För sin mor hade han varit den tolfte plågsamma påminnelsen om att hon ännu levde och efter att ha kallat det elfte barnet Miseria, hade hon bara haft ett namn kvar, Tristeza, och hon dog samma dag han blivit född efter att ha viskat till en uttröttad och hungrig sjuksköterska att hon ville att hans namn skulle vara just det, det sista hon hade, Tristeza.

Nelio lyssnade förundrad på deras historier, och han insåg att han var en av dem, de hade samma ursprung och samma erfarenheter. I deras historier kände han igen sig själv på samma sätt som de alla bar den brända byn inom sig. Ofta när han låg inne i hästens buk och väntade på sömnen tänkte han att det var som om de hade blivit födda av samma mor. En kvinna som varit ung och full av kraft, men som av banditer, av monster, av fattigdom hade brutits ner till en tandlös, hopkrupen skugga. Han visste att det var vad de verkligen hade gemensamt, att ingenting ha, att födas till världen med motvilja, eller slungas ut i en misär som skapats av banditer och monster.

Deras uppgift i livet var en: att överleva.

Om dagarna kunde han se de rika som steg ut och in ur sina glänsande bilar på de breda avenyerna i centrum av staden, vita män, svarta män, indier. Av Cosmos hade han fått veta vad en av dessa bilar hade kostat. Det var en så svindlande summa att det var som om Cosmos hade talat om avståndet till en stjärna och inte priset på en bil. Genom att se dessa rika kunde Nelio också upptäcka sin fattigdom. Mellan dessa rika som ständigt tycktes vara på väg att utföra brådskande uppdrag och flocken med gatubarn fanns en avgrund som han varje dag såg öppnas. De korsade den när de snabbt var på plats och bad att få vakta bilen eller tvätta den ren medan den svarte, vite eller indiske man som steg ut med sin portfölj utförde sitt betydelsefulla uppdrag. Nelio hade en gång frågat Cosmos vilka dessa män var, vad de hade i sina portföljer, och varför de alltid såg så upptagna ut. Cosmos hade inte haft något svar men erkänt att det kunde vara värdefullt att veta. Vid ett lämpligt tillfälle kort tid därefter, instruerade han Mandioca och Tristeza att göra ett inbrott i en bil och stjäla den portfölj som låg där. Efteråt hade de tagit skydd bakom bensinstationen och öppnat portföljen. Mandioca hade fantiserat om att den skulle vara full med pengar. Men när de öppnade låsen och slog upp locket hade där bara funnits de hoptorkade resterna av en ödla. Det hade varit ett magiskt ögonblick eftersom de aldrig hade kunnat föreställa sig att en död ödla skulle vara de stora rikedomarnas hemlighet.

– De bär på kistor med döda djur, sa Cosmos tankfullt. Kanske det är speciella ödlor som skyddar mot onda andar?

– Det är en vanlig ödla, sa Mandioca efter att ha tagit upp den, studerat den omsorgsfullt och till sist luktat på den.

– Någonting måste det ändå betyda, sa Cosmos.

– Låt oss i alla fall tala om att vi nu vet vad som finns i deras väskor, sa Nelio.

Var han hade fått tanken ifrån visste han inte, varken den eller mycket annat som han grubblade över. Han föreställde sig att han hade ett hemligt rum i sitt huvud där de oväntade tankarna avvaktade ett lämpligt ögonblick att slippa ut i frihet.

– Hur skulle vi kunna göra det utan att åka fast? frågade Cosmos.

Nelio tänkte efter. Plötsligt visste han.

– Vi fångar en levande ödla och lägger i väskan, sa han. Sedan ställer vi tillbaka den i bilen. Mandioca och Tristeza öppnar bildörren så att det inte märks. Mannen kommer att få något att grubbla över så länge han lever. Vi har tagit makten över honom. Vi vet hur det har gått till. Det vet inte han.

Cosmos nickade. Sedan ropade han på Alfredo Bomba och gav honom besked att genast fånga en av de ödlor som flög upp och ner för trädstammar eller gömde sig i husfasadernas sprickor. Han ställde sig orörlig intill trädet, la sin hand på stammen och väntade sedan tills en ödla fanns alldeles intill. Då knyckte han till med handleden och ödlan satt fast mellan hans tumme och pekfinger.

Nelio hade undrat hur han hade lärt sig konsten.

Alfredo Bomba hade blivit förvånad över frågan.

– Jag har lärt av att se hur ödlorna fångar insekter, sa han.

Eftersom det var Tristeza som vaktade bilen hade Mandioca och Tristeza inga svårigheter med att ännu en gång öppna bildörren och ställa tillbaka väskan. När mannen som ägde bilen återkom gav han Tristeza en sedel på hela 5.000, för att han hade vaktat bilen så bra.

Från det ögonblicket var Cosmos och Nelio besatta av den upptäckt de hade gjort. De kunde behärska världen genom att osynligt ta sig fram var de ville och lämna sina gåtfulla spår som för upphittarna framstod som oförklarliga och ibland också skrämmande. De såg sig runt i staden, ödlan i väskan hade gett dem övermakten, och de bestämde sig för att utmana sin fattigdom. Cosmos fattade alla beslut. Men det var Nelio som viskade i hans öra. Till de andra utdelade de sedan uppdragen och tillsammans kunde de efteråt beundra troféerna.

Genom vindlande kloakledningar, under fötterna på beväpnade vakter, tog de sig en natt in i stadens största varuhus. Cosmos var tvungen att ge både Nascimento och Alfredo stryk för att de inte skulle fylla sina fickor med de dyrbarheter som fanns i varuhuset. De hade inte kommit för att stjäla utan för att lämna sina spår och hämta en trofé. Under Cosmos och Nelios ledning plockade de om varor i butiken, la ner radioapparater i de stora frysboxarna, fyllde de tomma brödkorgarna med skor och krokade fast frusna kycklingar på tomma galgar i avdelningen för damkläder. Det sista de gjorde var att skruva loss den mässingsskylt som hängde vid huvudporten till minne av det tillfälle då presidenten hade invigt det stora varuhuset. Pecado spikade sedan fast en död ödla han hade fått av Alfredo Bomba, och de lämnade det nattliga varuhuset lika ljudlöst som de hade kommit. Dagen efter fanns Cosmos och Nelio utanför portarna när varuhuset öppnade. De såg vantrogenheten hos vakterna, sedan förvåningen hos de tillskyndande cheferna när de insåg att ingenting utom mässingsskylten hade blivit stulen. När polisen så småningom anlände låg Alfredos döda ödla på en bricka av silver och ingen vågade röra den.

En annan natt besökte de det stora vita hotellet som låg på en höjd över havet. De tog sig in genom en ventilationstrumma som hade sitt intag i branten mot havet. Genom att klättra som apor på varandras axlar nådde de den och befann sig till slut i de stora salarna med marmorgolv och meterhöga blomkrukor. De rörde sig med största försiktighet eftersom receptionister, vakter och sömnlösa gäster vakade i de dunkelt belysta salarna. I kaféet med de mjuka fåtöljerna åt de upp de bakelser som ännu fanns i den guldinfattade kyldisken. Också här tog de med sig en glänsande skylt som satt mellan två pelare i den stora foajén, till minne av den gång för många år sedan när Dom Joaquim hade invigt det nybyggda hotellet. Alfredo Bomba tryckte fast sin döda ödla i hålrummet där skylten hade suttit. Nelio la försiktigt en bakelse intill ödlans mun innan de åter försvann genom ventilationstrumman.

Vad som hände dagen efter fick de aldrig veta eftersom de aldrig skulle ha kunnat ta sig förbi vakterna vid hotellets svängdörrar. Men de tyckte ändå att de visste att de kunde se det som skedde framför sig.

Nelio och Cosmos blev allt djärvare. De tog sig in i parlamentet, skruvade loss handtaget till talmannens klubba, och borrade in en död ödla i dess ställe. De utmanade varandra med att även börja visa sin övermakt för andra. De utmanade rikedomens uppblåsta självgodhet genom att fälla två eskorterande motorcykelpoliser till asfalten strax utanför teatern när en ministerkortege passerade. De hade noterat att de främsta motorcyklarna i varje kortege alltid genade över den breda avenyens mittfält, strax före den stora korsningen. När sirenernas ylanden hördes på avstånd och alla bilister svängde undan hade Tristeza och Nascimento hastigt hällt svartfärgat glassplitter över mittfältet och sedan slunkit undan bakom en parkerad bil. Efteråt, när motorcyklisterna hade fallit och kortegen tvingats stanna, hade där legat en ödla mitt bland de svartfärgade glasbitarna.

Under lång tid diskuterade Cosmos och Nelio vad som kunde vara den största utmaning de kunde ge åt varandra. De värderade möjligheten av att släppa alla fångar i stadsfängelset lösa, var och en med en död ödla i handen. De funderade länge på att en natt börja störa sändningarna i stadens radiostation. Men det som de till slut enades om var att de en natt skulle ta sig in i presidentens palats, ända in i det rum där han låg och sov och lägga en ödla på hans sängbord. Det skulle vara deras sista utmaning. Sedan skulle ödlorna upphöra att visa sig. Men ingen skulle någonsin kunna vara helt säker på att de inte en dag återkom.

Det tog dem över ett år att förbereda besöket i presidentens sovrum. Under tiden fortsatte deras rastlösa, oroliga liv på gatorna. De slogs med de andra flockarna om sina revir, de levde i ständig fejd med de indiska handelsmännen, med poliserna och med sig själva. De tvättade och vaktade bilar, letade mat i soptunnorna, och förfinade Alfredo Bombas konst att tigga. Då och då blev de antastade av omvärlden, oftast i form av vita människor som talade deras språk mycket dåligt. Antingen ville de ta flocken med sig till något de beskrev som ett stort hus där det fanns mat och badkar och en gud. Cosmos brukade ge Mandioca i uppdrag att följa med och undersöka vad det var fråga om. Men Mandioca kom oftast tillbaka redan dagen efter och kunde meddela att det återigen varit en anstalt där man ville förvandla dem och ta ifrån dem rätten att leva på gatorna.

Ibland kom det människor i skärmmössor, bärande på

stora kameror och önskade att de poserade. Cosmos krävde omedelbart betalning varpå männen med kamerorna och de tunna kvinnorna med pennor i händerna oftast gick därifrån med missnöjda ansikten. I de fall männen med kamerorna var beredda att betala poserade de villigt. De briljerade med uttryck av hunger, smärta, saknad, smuts, råhet, tjuvaktighet och oskuldsfull glädje. Cosmos instruerade och var och en hade sin givna uppgift. För pengarna brukade de köpa mat, oftast kycklingar, som de grillade nere vid den spruckna kajen. Dagarna med kameramännen och de tunna pennbärande kvinnorna var mätta dagar. Efteråt låg de i skuggan under palmerna och pratade. Cosmos lät Nelio ligga vid sin sida medan de andra höll sig på respektfullt avstånd. Cosmos brukade se ut över havet, tugga på det sista kycklingbenet, och tala om allt utom sig själv. Cosmos ursprung var något Nelio ofta undrade över. Han visste dock att Cosmos aldrig skulle svara om han ställde några frågor. Nelio tänkte ibland att Cosmos alltid hade varit en färdig människa. Han hade fötts som den han var och han skulle heller aldrig komma att förändra sig. Det kunde också vara förklaringen till att han aldrig talade om sitt förflutna. Han talade inte om det eftersom det inte existerade.

De mätta dagarna kunde leda Cosmos in i en filosofisk och drömmande tankfullhet.

– Om du frågar Tristeza eller Alfredo eller någon av de andra vad de önskar sig mest i livet, vad tror du att de svarar då?

Nelio tänkte efter.

– Olika, svarade han.

– Jag är inte säker, sa Cosmos. Finns det något som står över allt annat? Mammor och mätta magar och avlägsna byar och kläder och bilar och pengar?

De låg tysta medan Nelio funderade.

– Identitetskort, sa han till slut. Ett papper med fotografi som talar om att man är just den man är och ingen annan.

– Jag visste att du skulle komma på det, sa Cosmos. Det är vad vi drömmer om. Identitetskort. Men inte för att vi ska få veta vilka vi är. Det vet vi ändå. Utan för att vi ska ha ett papper på att vi har rätt att vara dem vi är.

– Jag har aldrig haft ett identitetskort, sa Nelio tankfullt.

– Vi borde skaffa oss det, sa Cosmos. När vi har besökt presidentens sovrum ska vi skaffa oss identitetskort.

– Vad händer om man hittar oss? frågade Nelio. Vad händer om presidenten vaknar?

– Han kommer antagligen att ropa på hjälp, svarade Cosmos. Han kommer att vara som Nascimento. Han kommer att tro att han drömmer om monster.

– Om jag vore president, sa Nelio. Vad skulle jag göra då?

– Äta dig mätt varje dag.

– Äta mig mätt varje dag. Och sedan?

– Bygga upp den by banditerna brände. Söka reda på din mor och din far och dina syskon. Försöka finna Yabu Bata. Sätta mannen utan tänder i fängelse. Du skulle ha mycket att göra.

Cosmos gäspade.

– Om jag vore president skulle jag avgå, sa han och la sig på sidan för att sova. Hur skulle en ledare för en grupp gatubarn kunna ha tid att vara president?

De brukade avsluta de mätta dagarna med att besöka festplatsen som låg i ett omgärdat område mellan hamnen och de trånga gränderna där barerna aldrig stängde förrän solen hade gått upp. Även om de hade pengar var det dem en motbjudande tanke att betala inträde. De hade sin egen entré bakom ett av de osande restaurangköken där flottet brände på aldrig rengjorda spishällar. De kröp in i ett hål i muren som de själva hade tagit upp och sedan täckt med jordtorvor. De kände den stora Adelaida som stod med sin stekspade med svetten rinnande i ansiktet. Hon var mulatt och vägde närmare 150 kilo. När hon kommit som kock till restaurangen tio år tidigare hade ägaren varit tvungen att utvidga köket för att hon skulle få plats. Hon dansade och sjöng medan hon lagade mat. Den mat hon lagade var inte märkvärdig, men ett rykte hade spridit sig att det hon serverade hade en magisk inverkan på både männens och kvinnornas lust och förmåga. Det innebar att det alltid var fullt i restaurangen. Adelaida hade hög lön eftersom hon hade insett sitt värde, och hon vakade gärna över den hemliga ingång som gatubarnen använde sig av.

Festplatsen bestod av en labyrint av restauranger och barer, små bås där man kunde bli spådd eller få en tatuering av små mörka och gåtfulla män från de avlägsna öarna i Indiska oceanen. Mitt på en öppen plats fanns ett pariserhjul som ingen hade vågat åka i de senaste tjugo åren, eftersom kedjorna till hisskorgarna hade rostat sönder. Ägaren, senhor Rodrigues som för över sextio år sedan, under Dom Joaquims tid, hade importerat det stora hjulet, fanns dock fortfarande på plats varje kväll. Som vid en önskebrunn köpte man en biljett av honom utan att åka, och önskade sig samtidigt ett långt liv. Senhor Rodrigues, som hade svår rökhosta och levde av att äta torkade russin, satt i sitt lilla biljettbås och spelade schack med sig själv. Han hade under alla de år han tillbringat på festplatsen uppövat en stor skicklighet i att förlora mot sig själv. Han visste att han var en dålig schackspelare. Men inom honom fanns ett hemligt genius som var en oslagbar mästare. Bredvid pariserhjulet fanns några lotteristånd och en anläggning för eldrivna små racerbilar.

Den stora karusellen, vars motor hade slutat fungera några år innan de unga revolutionärerna hade tagit makten, drogs numera med handkraft. Ägarna av karusellen hade flytt i skräck eftersom de trodde att alla vita skulle halshuggas av de nya härskarna. De hade tappat ur all motorolja och låtit karusellen gå sönder. Det hade skett en natt när de varit ensamma kvar på festplatsen, och de hade druckit stora mängder vin och åkt på sin karusell tills motorn skurit ihop. Dagen efter hade de varit borta. Men de hade slagit huvudena av trähästarna som hämnd för att den nya tiden inte skulle låta dem fortsätta att leva sitt bekväma koloniala liv. Ingen hade återfunnit de avslagna hästhuvudena och ingen hade heller lyckats ersätta dem med nya. Därför hade karusellen fortfarande hästar som saknade huvuden. Cosmos beordrade alla utom Alfredo att dra. Ensam i sitt rike av huvudlösa hästar satt Alfredo på ledarhästen och åkte varv efter varv runt jorden. För detta ögonblick av lycka var han beredd att tigga åt de andra så länge han levde. De drev runt festplatsen och såg på allt som skedde, var intresserade åskådare till de slagsmål som blossade upp och lika hastigt dog ut igen, studerade nyfiket de halvnakna kvinnor som sökte kunder och diskuterade deras företräden så högt att de oftast blev ivägjagade. De mätta dagarna var dagar då tiden stod stilla, då livet var något mer än att bara överleva.

I början av det andra år Nelio levde tillsammans med flocken som leddes av Cosmos, gjorde de sitt nattliga besök hos presidenten. De hade tagit sig in i det muromgärdade och hårt bevakade palatset genom att krypa ner i de stora tvättkorgar som en gång i månaden levererades till palatset från den ministeriella tvättinrättningen. I ett av källarrummen hade de sedan avvaktat tills det blivit natt, och därefter smugit sig genom det tysta huset. Under lång tid före denna natt, hade de genom att ställa oskyldiga frågor till olika människor som arbetade i presidentpalatset tagit reda på hur huset såg ut, var trapporna och vakterna fanns , och de visste i vilket rum presidenten sov. Det hände att han besökte sin hustru som hade sitt eget sovrum men han återvände alltid efteråt till sin egen säng. Just när de var på väg till palatsets övervåning hade de hastigt hukat i den mörka trapppen. De hade hört en dörr öppnas och stängas någonstans ovanför dem. Sedan hade de sett presidenten komma i månskenet, och han hade varit alldeles naken. På ljudlösa fötter hade han passerat ovanför deras huvuden på väg till sitt sovrum. Det hade varit ett ögonblick som ingen av dem någonsin skulle glömma. Cosmos hade hotat dem med att få stryk varje dag under tre månader om de någonsin avslöjade vad de hade sett. Ingen skulle behöva veta att deras president hade visat sig naken för några av sina undersåtar.

De hade väntat i trappan tills Cosmos menade att presidenten måste ha somnat. Försiktigt hade de smugit vidare och öppnat hans dörr. I skenet av det ljus som föll in genom fönstret hade de sett skuggan av den svarte mannen i hans säng, och de hade hört hans lugna andhämtning. De hade stått runt sängen och hållit andan. Sedan hade Alfredo Bomba lagt den döda ödlan på nattbordet och de hade lämnat rummet.

Vad de aldrig fick veta var att presidenten strax efteråt hade slagit upp ögonen i mörkret. Han hade drömt att något hade luktat, en ond lukt av fattigdom. När han slog upp ögonen i mörkret fanns lukten där, som om den hade följt med honom upp ur sömnen. Han låg sedan länge vaken och undrade vad drömmen hade velat säga honom. Att han gjorde för lite för att råda bot på den fattigdom som tycktes sprida sig som en infektionssjukdom i landet. Han sökte oroligt ett svar utan att finna det tills han föll i en orolig slummer strax innan gryningen.

Men han upptäckte aldrig ödlan som låg på sängbordet. På morgonen, när presidenten med sömndruckna ögon hade badat och sedan klätt sig, hade han fortfarande inte sett den.

En uppskrämd betjänt hade kallat på den ansvarige för presidentens säkerhetsavdelning som i sin tur i största hemlighet hade låtit hämta chefen för säkerhetspolisen. Efter ett antal ytterst förtroliga sammanträden hade man beslutat att inte informera presidenten. Däremot ökade man, också i hemlighet, presidentpalatsets bevakning till det tredubbla.

Kort tid efter denna, den slutliga triumfen, hade Cosmos drabbats av ett svårmod som kommit överraskande för alla och även för honom själv. En kväll, just när Nelio var på väg att gå hem till sin staty, hade Cosmos tagit honom åt sidan och sagt att från och med nästa dag skulle Nelio få överta flocken. Han skulle då vara borta och han gav ansvaret till Nelio tills han kom tillbaka. Det låg ett lastfartyg inne i hamnen som skulle segla mot öster, mot soluppgången tidigt nästa morgon. Cosmos skulle smyga sig ombord för att ge sig ut på en resa som han ansåg vara det enda som kunde göra honom på gott humör igen.

– De kommer aldrig att godkänna mig som sin ledare, sa Nelio. De kommer att säga att jag har slagit ihjäl dig.

– De kommer att sakna mig, sa Cosmos. Just därför är du deras enda tänkbara ledare. Eftersom du är den som står mig närmast.

Nelio hade försökt protestera.

– Säg inget mer, sa Cosmos. Jag tror det är viktigt att man bryter upp ibland. Jag kommer att klara mig bra.

Sedan tog han upp en död ödla som han hade i fickan och log.

Dagen efter var han borta. Ingen hade heller senare hört något ifrån honom. Han hade försvunnit med det fartyg som seglat rakt in i soluppgången.

I samma ögonblick som Nelio hade berättat om Cosmos försvinnande, hade solen höjt sig över horisonten. Den afrikanska solen, röd som siden, slog sina strålar över staden som höll på att vakna. Jag kunde se på Nelio att han var trött. Just när jag skulle lämna honom, började han hosta. När jag vände mig om såg jag att det rann blod ur hans mun. Jag hann tänka att det nu var över. Nelio skulle dö. Sedan lyfte han handen och vinkade avvärjande.

– Det ser värre ut än vad det är, sa han trött. Jag kommer inte att dö utan att du vet om det.

Strax efter avstannade blodflödet. Jag frågade om det var någonting han ville ha.

– Bara vatten, sa han. Sedan ska jag sova.

Jag stannade på taket tills han hade somnat. Därefter gick jag ner till bageriet. Eftersom Dona Esmeralda redan hade kommit berättade jag om den oduglige degblandaren som jag arbetade med under nätterna.

Jag hörde min egen röst, orden som föll. De var främmande och overkliga, som om jag helt och hållet höll på att slukas av den döende Nelio och hans berättelse. Dona Esmeralda tycktes dock ingenting märka. Hon reste sig från pallen, knöt hattbandet under hakan och sa att hon genast skulle låta ersätta den oduglige degblandaren med en bättre person.

Sedan gick jag ut i staden. Någonstans vände jag mig om och såg upp mot teaterns tak.

Kvällen och natten var ännu avlägsen.

Den sjätte natten

Den dagen drog en kall vind plötsligt in över staden. Just under den varmaste tiden av året var det inte ovanligt att det skedde, men trots att man visste om det kom det ändå alltid oväntat för alla. En gång för länge sedan, då staden bara hade bestått av några låga hus intill den orörda flodmynningen, påstod ryktet att isberg hade varit synliga, ungefär där hajarna nu stryker omkring med sina fenor knappt synliga ovanför vattenytan. Under några dagar hade flodmynningen frusit till is, och människorna hade kunnat korsa floden genom att gå på vattnet. Även om det hela med all sannolikhet aldrig hade inträffat kunde man under dessa dagar, när de kalla vindarna drog in över land från söder, få se människor, framförallt de som var gamla, stå nere vid stadens kajer och spana mot horisonten för att se om isbergen efter alla dessa år nu skulle återvända. Sanningen skulle uppenbaras, det som hade hänt en gång hade inte bara varit rykten.

Jag hade somnat i skuggan av ett träd nere vid kajen där den rostiga färjan som går fram och tillbaka över floden lägger till. Plötsligt hade jag vaknat av att jag frös. Det var redan sent på eftermiddagen och jag skyndade mig tillbaka till bageriet. Jag var just på väg att gå upp till taket för att se om Nelio ännu sov, när jag hörde att någon kallade på mig. Det var en av flickorna vid bröddisken som sa att Dona Esmeralda hade frågat efter mig. Jag skulle genast söka upp henne, trots att hon nu befann sig inne i teatern och repeterade på en ny pjäs tillsammans med skådespelarna.

Jag blev genast mycket orolig. Det hände ytterst sällan att Dona Esmeralda ville bli störd när hon befann sig på teatern. Jag frågade flickan, det var Rosa kan jag nu minnas, Rosa som var stor och tjock och som passionerat älskade en skräddare som lämnat henne för mer än femton år sedan, om vad det var Dona Esmeralda ville.

– Vem vet vad hon vill? svarade Rosa. Men jag tror du bör skynda dig. Hon har väntat länge.

Jag tänkte att hon måste ha upptäckt att Nelio fanns på taket. Hon visste att det var jag som hade fört honom dit. Nu skulle hon avskeda mig för att jag hållit något dolt bakom hennes rygg.

När jag försiktigt steg in i den mörka salongen var jag full av onda aningar. På scenen, i samma strålkastarljus där jag hittat Nelio badande i sitt blod, såg jag skådespelarna uppträda. De var instängda i egendomliga grå kostymer som tycktes uppumpade med luft. Från deras ansikten hängde långa rörliknande föremål, de påminde om grova repändar, som gjorde att de hade svårt att röra sig. Jag stannade innanför dörren, fascinerad av de ballongliknande varelserna på scenen som snubblade fram över sina näsor.

Det tog en stund innan jag förstod att de skulle föreställa elefanter. Jag kunde se Dona Esmeraldas rygg. Hon satt alltid på samma plats, ungefär mitt i salen, när hon ledde sina repetitioner. Eftersom spelet pågick på scenen avvaktade jag med att gå fram till henne. Jag hade svårt att förstå vad pjäsen handlade om eftersom skådespelarnas ord var omöjliga att uppfatta bakom de långa snablarna som hängde framför deras ansikten. Jag tyckte mig dock höra att de lät irriterade. De sparkade irriterat på snablarna, rörde sig klumpigt och tungt i de ballongliknande kostymerna som dessutom säkert var mycket varma.

Spelet fortsatte utan avbrott. Jag tänkte att jag inte kunde vänta längre och gick försiktigt fram genom mittgången mot Dona Esmeraldas rygg. Hatten hade hon tagit av sig och lagt på golvet intill sin stol. Hon satt alldeles orörlig. När jag kom fram till henne upptäckte jag att hon hade somnat. Hon satt dock upprätt, hennes haka hade inte fallit mot bröstet. Skådespelarna på scenen fick inte märka att hon sov. Jag skulle just dra mig tillbaka igen när hon vaknade med ett ryck och såg på mig. Hon visade med ena handen att jag skulle sätta mig bredvid henne. Jag flyttade försiktigt på konjaksflaskan som stod intill stolen och satte mig ner. Hela tiden ropade elefanterna obegripligheter till varandra på scenen. Dona Esmeralda lutade sig emot mig och viskade i mitt öra.

– Vad tycker du om vår nya föreställning?

– Det ser mycket bra ut, viskade jag tillbaka.

– Det handlar om en elefantflock som anfäktas av religiösa problem, fortsatte hon. Det är en påminnelse om den onda tiden då min far fortfarande härskade över det här landet. Mot slutet av pjäsen ska han själv komma in på scenen med draget svärd. Om jag hittar någon som kan spela honom. Elefanterna är egentligen revolutionära soldater.

Jag måste erkänna att jag inte alls förstod vad hon menade. Eftersom skådespelarna verkade irriterade uppe på scenen, antog jag att inte heller de förstod vad pjäsen handlade om. Men jag vågade inte annat än att upprepa vad jag redan hade sagt, att det hela såg mycket bra ut. Dona Esmeralda nickade belåtet och tycktes sedan glömma att jag fanns där. Hon följde det som hände på scenen med ett uttryck av hänförd, barnslig förtjusning. Jag såg på henne i smyg och tänkte att det var just denna glädje som påminde om ett barns som gjorde att hon fortfarande levde, trots att hon var minst nittio och kanske till och med hundra år gammal.

Jag trodde att hon hade glömt att jag satt där vid hennes sida när hon plötsligt såg på mig igen.

– Jag har avskedat degblandaren, sa hon. Vad var det han hette?

– Julio.

– Jag sa till honom att skaffa sig ett instrument och försöka bli musiker. Jag tror han kan passa till det.

Även om Dona Esmeralda alltid in i det längsta försökte undvika att avskeda de människor hon hade anställt, kunde det inte helt undvikas. Men hon lät ingen gå utan att hon samtidigt anvisade vilken typ av arbete de borde ägna sig åt i fortsättningen. Jag visste att hon nästan alltid hade haft rätt. Jag försökte tänka vilket instrument som skulle kunna passa Julio utan att jag lyckades finna något svar.

– Det kommer en ny degblandare i kväll, avbröt Dona Esmeralda mina tankar. Det var därför jag kallade hit dig. Jag har anställt en kvinna.

– En kvinna? Men mjölsäckarna är tunga!

– Maria är mycket stark. Hon är lika stark som hon är vacker.

Samtalet var över. Dona Esmeralda gav mig tecken att jag skulle gå. Jag lämnade den mörka salongen, tacksam över att det inte var för att tala om Nelio som hon hade kallat på mig.

Hon hade sagt att Maria var lika stark som hon var vacker. Och vid Gud, hon hade rätt! För när jag sent på kvällen kom in i bageriet för att börja mitt arbete stod där en kvinna som var det vackraste jag sett i mitt liv. Jag blev ögonblickligen förälskad i henne. I det ögonblicket fanns ingenting annat än hon. Vi tog varandra i hand.

– Jag heter Maria, sa hon.

– Jag älskar dig, tänkte jag säga. Men jag sa det naturligtvis inte. Jag sa bara mitt namn.

– Jag heter också Maria, svarade jag. José Maria Antonio. Mjölsäckarna är mycket tunga.

Det låg en säck, en av de vita med blå och röda bårder, alldeles intill hennes fötter. Hon böjde sig ner med sviktande knän och lyfte upp den högt över sitt huvud.

Hur kunde en kvinna vara så stark? Hur kunde en kvinna vara så stark och samtidigt så vacker?

– Har du arbetat i ett bageri tidigare? frågade jag.

– Ja, sa hon. Jag vet hur man blandar en deg.

Det visste hon. Jag behövde bara förklara för henne hur många degar vi brukade göra under en natt, och vilka speciella önskemål som Dona Esmeralda hade. Hon nickade och jag behövde sedan aldrig rätta henne.

Hon var så vacker att jag flera gånger glömde Nelio, och det var inte förrän jag lät henne gå hem vid midnatt som han återkom i mitt medvetande, dock först sedan jag hade gått ut på gatan för att se om där fanns någon man som väntade på Maria. Men hon hade ensam försvunnit i natten. I det ögonblicket gifte jag mig med henne i mitt huvud.

Det var först när jag redan befann mig i vindeltrappan upp mot taket som jag påminde mig om vart och varför jag var på väg. Jag fick genast dåligt samvete. Det låg en döende människa på taket och jag hade bara min nya degblanderska Maria i huvudet. Jag tvingade mig att börja skämmas, trots att det var svårt, och skyndade sedan upp till taket.

Nelio var vaken när jag kom. Tidigare på kvällen, innan Maria hade kommit, hade jag lånat en gammal trasig filt av nattvakten utanför den indiske fotografens butik. Jag hade gett honom ett bröd och en tändsticksask med teblad för att han skulle låna ut filten. Den hade jag brett över Nelio för att skydda honom mot de svala vindar som dragit in över staden. Jag hade gett honom av fru Muwulenes örter och suttit vid hans sida medan han gick igenom ett av sina återkommande feberanfall. Den svala luften tycktes bekomma honom väl. Han log när han fick syn på mig.

I det ögonblicket var han en tioårig pojke. I nästa stund kunde han åter vara en mycket gammal man. Det växlade hela tiden. Jag visste aldrig vad det var jag skulle få se framför mig. Det enda som var säkert var att han nu hade legat på taket i fem dagar och nätter, det var nu den sjätte natten, och såren på hans bröstkorg svartnade allt mer.

Kanske var det mötet med Maria som påverkade mig, jag vet inte. Men när jag hade bytt bandaget och sett att han nu visade omisskännliga tecken på blodförgiftning, kunde jag inte låta bli att säga rakt ut vad jag tänkte.

– Du kommer att dö om du stannar kvar här på taket.

– Jag är inte rädd för att dö, svarade han.

– Du behöver inte dö, sa jag. Om jag får ta dig härifrån. Till ett sjukhus. Kulorna i din kropp måste ut.

– Jag ska säga till, svarade han, som så många gånger tidigare.

– Nu är det jag som säger till, svarade jag. Jag måste flytta dig nu. Annars kommer du att dö.

– Nej, sa han. Jag kommer inte att dö.

Vad var det som gjorde att jag trodde honom? Hur kunde han få mig att gå med på något som jag visste inte var riktigt?

Svaret är att jag inte vet. Men så stor var hans makt att man böjde sig för hans ord.

Den natten berättade han om tiden efter det att Cosmos hade smugit sig ombord på ett fartyg och försvunnit på sin resa in i soluppgången. Mot gryningen, när han hade börjat bli trött, kunde jag känna att den svala luften åter hade försvunnit. När jag reste mig för att lämna honom och såg ut mot havet kunde inte heller jag upptäcka några isberg.

Den morgon när Cosmos hade gett sig av och Nelio berättade för de andra att han från och med nu var flockens ledare, hade allt gått mycket lugnt till. Ett byte av ledarskap kunde annars ofta vara förenat med oro och dunkla motsättningar som trängde upp till ytan. Nelio sa som det var, att Cosmos en gång skulle komma tillbaka och att allting då skulle återgå till att bli som tidigare. Han avsåg inte att förändra någonting, det han visste om att vara ledare hade han lärt av Cosmos.

Det var dock inte alldeles sant. Under natten när han hade legat inne i hästens mage och sömnlös väntat på gryningen och den vansinnige skrattande prästens våldsamma morgonbön, hade han tänkt att han skulle vara precis som Cosmos. Men han skulle vara det lite mer. Han skulle vara ännu lite mer tålmodig med Tristeza, han skulle skratta ännu lite mer åt de oändliga historier som Alfredo Bomba ständigt höll på att berätta. På så sätt hoppades han att han skulle kunna förvalta den auktoritet som Cosmos byggt upp i flocken.

Den ende som utmanade honom under denna första tid var Nascimento.

– Du vet var Cosmos är, kunde Nascimento plötsligt säga, när Nelio om kvällen delade upp pengarna de tjänat under dagen på att vakta och tvätta bilar.

Det uppstod genast en spänning bland de andra. Nelio visste att han måste anta utmaningen och en gång för alla klargöra för Nascimento varför Cosmos hade utsett honom till sin efterträdare.

– Han utsåg mig till ledare därför att han visste att jag var den ende som inte skulle tala om vart han var på väg, svarade Nelio och fortsatte oberört att dela ut pengarna.

Nascimento funderade på vad svaret egentligen betydde. Den kvällen sa han ingenting mer.

– Vi kan inte ha en ledare som inte sover tillsammans med oss, sa han den andra kvällen.

Nelio hade förberett sig på frågan. Han hade anat att Nascimento skulle använda sig av skillnaderna mellan Cosmos och honom själv. Han hade kommit fram till att det fanns två avgörande olikheter mellan dem. Dels att Nelio bodde för sig själv, dels att han inte var några år äldre än de andra.

– Allt ska vara som på Cosmos tid, svarade Nelio. Därför ska jag också fortsätta att sova var jag vill.

– En ledare ska vara äldre, sa Nascimento.

– Det är någonting du ska tala med Cosmos om, svarade Nelio. Jag är säker på att han kan ge dig ett svar som du är nöjd med.

Nascimento slutade snart att utmana Nelio när han insåg att han inte kom någon vart. Flocken slog sig till ro med att förändringen hade skett utan att något hade hotat att splittra dem. Snart visste också de andra gatubarnen i staden att Nelio, trots att han var så ung, hade övertagit ledarskapet efter Cosmos som hade gett sig ut på en hemlighetsfull resa.

Det var också under den här tiden som Nelio allt mer

började grubbla över varför världen egentligen såg ut som den gjorde. Han såg framför sig ett oändligt liv på stadens gator. När han en gång som en gammal man skulle äta sin sista måltid skulle han också hämta den ur soptunnorna, på samma sätt som nu. Var livet verkligen ingenting mer? Ingenting annat? Han påminde sig de ord som den vita dvärgen, Yabu Bata, hade sagt innan de skildes åt. Det finns två vägar. Den ena leder dig rätt, den andra är dårskapens väg och leder en människa rakt ut i fördärvet. Vilken väg var det egentligen han hade valt när han den där morgonen hade gått in i staden? Skulle han istället ha fortsatt att följa havets oändliga strandlinje?

I sitt liv hade han bara en enda uppgift: att överleva. När han kände så blev han orolig.

Jag måste göra något mer, tänkte han. Jag måste göra något mer än att bara överleva.

Under den här tiden la han sig också till med några vanor som bidrog till att skapa bilden av honom som en märklig människa. Han visste dock själv aldrig om vilka rykten som omgav honom.

Varje morgon när han vaknade frågade han sig om han orkade leva ännu en dag med namnet Nelio. De dagar som hans namn kändes som en börda valde han ett annat namn. Han brukade fråga någon av pojkarna som lekte utanför ryttarstatyn vad han hette, och tog sig sedan det namnet under dagen. Fortfarande var det ingen som hade upptäckt att han hade förvandlat statyn till sitt hem. Han öppnade alltid försiktigt luckan när Manuel Oliviera började skratta utanför sin tomma kyrka, och smet ut så fort han kunde. Sedan skyndade han sig genom staden till justitiedepartementets trappuppgång där de andra ungefär samtidigt hade börjat vakna. De ville helst inte ligga och sova när vakterna kom för att öppna. Då blev de brutalt bortkörda och kunde få sina pappkartonger söndersparkade.

Gatubarnens dagar var alltid lika utan att någonsin upprepas. Det hände alltid något som ingen hade kunnat förutsäga. Men Nelio drog sig allt oftare undan de andra och kunde ibland bli irriterad när de inte lät honom vara ifred. Ofta blev han avbruten i sina tankar av att Nascimento hade börjat slåss med Pecado eller någon i en annan flock av gatubarn. Då var han tvungen att ingripa för att oredan inte skulle sprida sig och för att återställa lugnet.

När han gick emellan två som slogs blev allt genast mycket stilla. Ingen hade någonsin lyft en hand mot honom, inte ens Nascimento. Ingen kunde heller förstå varför han alltid undgick att bli indragen i något slagsmål. Ryktet började gå att han hade en far som var en okänd *feticheiro* med sällsynta krafter som han i sin tur hade överlämnat till sin son. Var ryktet kom ifrån, var det hade uppstått, kunde ingen reda ut. Men plötsligt en dag, när Nelio satt lutad mot ett träd strax bortom Dona Esmeraldas bageri och studerade den sönderrivna och smutsiga karta över Afrika som Alfredo Bomba hittat i en soptunna dagen innan, föll plötsligt en skugga över honom. När han tittade upp stod en ung kvinna med ett barn framför honom.

– Min dotter är sjuk, sa kvinnan med klagande röst.

– Då bör hon få medicin, svarade Nelio. Men jag har ingen medicin att ge bort.

Nelio försjönk åter i sina tankar. Kvinnan stod kvar. Tiden gick. Efter mer än en timme såg Nelio upp på henne igen.

– Jag har ingen medicin, upprepade han. Om ditt barn var sjukt för en timme sedan måste det nu må ännu sämre.

Kvinnan hade sitt barn bundet intill bröstet. Nu tog hon

loss det, gick ner på knä och räckte fram det mot Nelio. Många människor hade samlats runt dem. Nelio kände sig illa till mods. Han hade stor respekt för de *feticheiros* och *curandeiros* som var i besittning av de hemliga krafterna, som kunde samtala med de oroligt svävande andarna, som kunde driva ut det onda och befria den godhet varje människa hade inom sig. Nu insåg han att kvinnan som sträckte fram sitt barn trodde att han var en *feticheiro*. Det gjorde honom rädd. Döda *feticheiros* skulle straffa honom hårt om han utgav sig för att vara en av dem.

– Du tar miste, sa han till kvinnan. Gå till en *curandeiro*. Jag ska ge dig pengar. Bara du går härifrån.

Kvinnan rörde sig inte. Nelio upptäckte Nascimento och de andra som nyfiket betraktade det som pågick. Han märkte att han hade börjat svettas.

– Gå härifrån, sa han igen. Jag kan inte hjälpa dig. Jag är bara ett barn.

Plötsligt började kvinnan vädja till dem som stod samlade i den cirkel som hela tiden växte sig större och större.

– Mitt barn är sjukt, klagade hon. Han vill inte hjälpa henne.

Ett missnöjt mummel utbröt omedelbart bland dem som stod runt om och samtliga tog de kvinnans parti. Nelio insåg att det enda han kunde göra var att ta emot barnet och hålla det i sina armar. Han såg att läpparna på barnet var torra och spruckna.

– Ge det vatten med salt, sa han till kvinnan, och mindes vad hans mor hade gett honom.

Kvinnan tog barnet, log och la några skrynkliga sedlar framför Nelios fötter. Folksamlingen löstes upp.

– Inte ens Cosmos var *curandeiro*, sa Pecado förvånat. Kan du göra så att lopporna slutar suga mitt blod?

Några dagar senare kom kvinnan med det sjuka barnet tillbaka. Barnet var då friskt igen. Nelio antog att det var det kokta vattnet och saltet som hade gjort verkan. Men från det ögonblicket spred sig ryktet att Nelio besatt de heliga, läkande krafterna. För att inte riskera att bli ertappad som en *curandeiro* som inte var äkta, insåg Nelio att det enda han kunde göra var att sprida ut ännu ett rykte. Han samlade flocken runt sig.

– Om alltför många människor börjar komma till mig för att jag ska göra dem friska finns det ingen möjlighet för mig att fortsätta att vara er ledare. Därför ska ni nu sprida ut att jag bara tar emot sjuka människor när jag sitter just på den plats dit kvinnan kom. Bara där. Ingen annanstans.

Från den stunden undvek Nelio noga att sätta sig i skuggan av det träd där han tidigare brukat dra sig undan för att grubbla över sina många olösta frågor. Trots att han aldrig mer tog ett sjukt barn i sina armar hade han fått en osynlig mantel över sina axlar som ingen kunde befria honom ifrån. Nelio, han som var så ung och ändå hade tagit över som ledare efter Cosmos, var en man som hade övernaturliga och magiska krafter. Nelio blev en välkänd person i staden. Många började komma till honom för att be om råd. Nelio strävade aldrig efter att ge kloka svar. Han bara sa som han tyckte. Om han inte förstod en fråga så sa han det. Om han inte hade något att säga var han tyst. Det började gå rykten om att Nelio en dag skulle göra ett stort under. Ingen visste vilket under han skulle utföra, men alla förväntade sig att det skulle bli något mycket stort som skulle innebära att deras stad blev omtalad i hela världen.

Nelio hade dock inga tankar på att utföra en underbar och magisk handling. Han strävade enbart efter att göra något som innebar att hans liv skulle handla om något mer än att bara överleva. Samtidigt tog han allvarligt på sitt ansvar som Cosmos ersättare. Han försökte hela tiden att se till att de tvättade sig så att de inte blev sjuka. Vid flera tillfällen slog han sönder halvtomma vinflaskor som Nascimento hade kommit över, fast besluten att dricka sig berusad. Under de korta ögonblick de inte var upptagna med att överleva för stunden och låg och dåsade på trottoaren, någonstans där de kunde finna skugga, lyssnade Nelio på deras drömmar. Han hade upptäckt att drömmarna fanns hos de andra lika starkt som hos honom själv. Han tänkte att drömmarna alltid levde vidare, hur hårt deras liv än kunde vara. Hos var och en av dem fanns en kärna som var lika hållfast och dyrbar som en diamant. Det var drömmen om en annan dag, ett återseende, en säng att sova i, ett tak över huvudet, ett identitetskort.

Nelio bestämde sig för att kunskap var att lägga ihop saker och ting. Om någon hade frågat honom om vilka som var en människas grundläggande behov skulle han genast ha vetat vilket svar som var riktigt: ett tak och ett identitetskort. Det var vad en människa behövde, förutom mat, vatten, ett par byxor och en filt. Det var genom att ha tak över huvudet och ett identitetskort i fickan som människan skilde sig från djuren. Det var de första stegen mot ett anständigt liv, en väg ut ur fattigdomen, att bygga sig ett tak och skaffa sig ett identitetskort. När tiden var mogen skulle han också se till att de som Cosmos hade gett honom ansvaret för skulle påbörja den långa vandringen bort från gatorna.

Nelio lyssnade på deras drömmar och han blev ofta förargad över att de både var vettlösa och orealistiska. Trots att han alltid försökte undvika att visa att han blev arg, kunde han då och då inte låta bli att säga ifrån. När Tristeza under en längre tid hade stört deras eftermiddagssiesta med oändliga utläggningar om hur han en dag skulle starta en egen bank, sa Nelio ifrån. Han väckte de som hade lyckats somna och höll ett förmaningstal.

– Alla har lov att tala om sina drömmar. Man drömmer när man drömmer, och man fortsätter att drömma när man talar om det man har drömt. Det är bra. Men det är inte bra som Tristeza håller på. Det är ingen bra dröm att tro att man en dag ska öppna en bank. Särskilt när man inte ens kan räkna. Det är dumheter. Därför ska Tristeza från och med nu prata mindre om sin bank. Särskilt när vi andra vill sova middag.

Efteråt blev det tyst. Alla var nöjda över att få sova ifred. Men Tristeza som hade svårt att förstå och tänkte mycket trögt bad att Nelio skulle upprepa det han hade sagt och att han denna gång skulle tala långsammare. Nelio överfölls av en känsla av sorg när han såg hur ledsen Tristeza hade blivit över att ha fått sin dröm förbjuden. Han insåg att han omedelbart måste ge honom en annan för att han inte skulle förlora sitt livsmod.

– Du måste öva dig att tänka fortare, sa Nelio. Det är vad du ska drömma om. Att du en dag ska kunna tänka på samma sätt som vi andra. När du har lärt dig det ska vi samla ihop så mycket pengar till dig att du kan köpa ett par gymnastikskor.

Tristeza såg vantroget på honom.

– Jag menar det jag säger, sa Nelio. Brukar jag säga något som jag sedan inte håller?

Tristeza skakade på huvudet.

– Du ska själv få gå in i affären och peka på vilka skor du vill ha, sa Nelio. Sedan ska du ta upp pengar ur din ficka och du ska själv betala.

– Så fort kommer jag aldrig att lära mig att tänka, sa Tristeza.

– Du ska få dina skor när du har lärt dig tänka bara en aning fortare än nu.

– Jag vet inte hur man gör.

– Du tänker på för många saker samtidigt. Det är därför det alltid är en sån röra i ditt huvud. Lär dig tänka på en sak, inget annat.

– Vad ska jag tänka på?

– Tänk på att det är mycket varmt, sa Nelio. Tänk på hur bra vi kommer att sova och hur lite irriterade vi kommer att bli på dig, om du inte hela tiden pratar om din bank. Tänk på det tills du själv somnar. Efteråt ska jag ge dig något annat att tänka på.

– Gymnastikskor, sa Tristeza.

– Ja, sa Nelio. Gymnastiksskor. Tyst nu! Tänk. Och sov.

Efteråt, när också Tristeza hade somnat, blev Nelio liggande vaken i skuggan av sitt träd. Han försökte föreställa sig Tristeza om tio år, och om tjugo, som vuxen. Han blev återigen sorgsen vid tanken på att Tristeza säkert inte skulle leva så länge. Världen var inte till för gatubarn som tänkte långsamt.

En morgon kom Alfredo Bomba fram till Nelio som frånvarande satt och skrapade smuts från sina fötter med ett trasigt och slött knivblad. Han berättade att han under natten hade drömt att det dagen efter var hans födelsedag.

– Du vet inte vilken dag du är född, sa Nelio.

– Jag drömde att jag visste, svarade Alfredo Bomba. Varför skulle jag drömma något som inte är sant?

Nelio betraktade honom tankfullt. Sedan slog han ihop händerna och reste sig upp.

– Du har rätt, sa han. Naturligtvis fyller du år i morgon.

Vi ska fira din födelsedag. Lämna mig ifred nu så jag kan tänka på din födelsedag ifred.

När Nelio skulle lösa ett problem eller tänka på en tanke tills det inte fanns mer att tänka om den, ville han alltid vara ensam. Han kunde inte tänka när de andra väsnades runt honom. Han brukade sätta sig i det brunbrända gräset bakom bensinstationen där hans enda sällskap var några magra getter. Det var dit han nu gick när han skulle tänka på Alfredo Bombas födelsedag. Efter en timme visste han vad de skulle göra. Han kallade ihop flocken till ett rådslag. Nascimento kom bärande på en låda med halvruttna tomater som hade ramlat av taket från en överlastad buss. Snabbt och vant rev de av den bit av tomaten som var rutten och tuggade sedan i sig resten. Nelio väntade tills lådan nästan var tom innan han började tala.

– I morgon är en stor dag. Alfredo Bomba fyller år. Det har han drömt och då är det säkert riktigt. Förmodligen fyller han nio, tio eller möjligen elva år. Men det betyder inte så mycket. Ingenting förbjuder Alfredo Bomba att vara så gammal som han själv vill. I morgon ska vi alltså fira Alfredo Bombas födelsedag.

Nelio pekade på ett hus som låg lite vid sidan av bensinstationen. På Dom Joaquims tid hade det tillhört en välbärgad plantageägare som hade stora teodlingar i de avlägsna västra provinserna. Efter de unga revolutionärernas intåg hade huset under lång tid stått tomt och förfallit. Men de senaste åren hade där bott olika vita människor som kom till deras land för att hjälpa till, de som brukade kallas *cooperantes*. Just nu bodde där en man vars hår var alldeles ljust och som kom från ett land som ingen visste var det låg. Nelio hade en gång uppfattat att mannen var *markes*, utan att bli klar över vad det betydde.

Nelio hade ofta undrat över dessa *cooperantes*. De gick klädda i kortbyxor och sandaler och hade små väskor med pengar i ett bälte runt livet. Nelio tänkte att det kanske var deras uniform. De hade stora bilar och var nästan alltid mycket vänliga mot gatubarnen och gav för mycket pengar när någon hade vaktat deras bil. De tyckte om att bli röda i ansiktet av solen och försökte alltid visa att de inte var rädda för alla svarta människor som alltid ville ha pengar av dem, trots att Nelio naturligtvis hade genomskådat att de i verkligheten var rädda.

Nelio pekade på huset.

– I morgon är det lördag. Det betyder att *markesen* packar sin bil med madrasser och stolar och matlådor. Han kommer sedan inte tillbaka förrän dagen efter när det är söndag. Hans *empregada* har ledigt och nattvakten sover alltid mycket tungt. Nascimento kan också försöka få tag på en vinflaska och ge honom. Då kommer han att sova ännu tyngre. Eftersom mannen som bor där är *markes* och *cooperante* är han här för att hjälpa dem som är fattiga i vårt land. Vi är fattiga. Dessutom kan han få hjälpa oss att fira Alfredo Bombas födelsedag. Vi ska fira födelsedagen i hans hus.

Hans ord mötte en storm av protester. Nelio visste att alla tyckte hans idé var utmärkt och nu försökte hjälpa till genom att påtala allt som kunde bli problem.

– Vi kan inte bryta oss in i huset, sa Mandioca. Polisen kommer. Vi får fira födelsedagen i fängelset. De kommer att slå oss mycket. Särskilt Alfredo Bomba, det är hans födelsedag som är skuld till det hela.

– Vi ska inte bryta oss in, sa Nelio. Jag ska förklara sedan.

– Eftersom det inte är vårt hus måste vi vara tysta, sa

Nascimento. Men vi kan inte vara tysta. Det har vi aldrig kunnat. Hur ska vi kunna fira en födelsedag utan att föra oväsen?

– Vi ska inte öppna fönstren, sa Nelio. Och vi ska inte slå sönder någonting.

– Vi kan inte tända ljuset, sa Pecado. Ska vi vara i mörkret i ett främmande hus? Många saker kommer att gå sönder, vare sig vi vill eller inte.

– *Markesen* låter alltid ljuset lysa när han är borta, sa Nelio. För att inga tjuvar ska bryta sig in.

Han bemötte alla invändningar och förklarade sedan hur de skulle ta sig in i huset.

– Mandioca är den av oss som kan två saker bättre än någon annan. Dels kan han se ynkligare och hungrigare ut än vi andra. Dels kan han vara tyst och inte röra sig under lång tid. Därför ska Mandioca gå fram till dörren och ringa på. *Cooperanten* kommer att öppna. Du ska då vackla till och svimma dig in i huset över tröskeln. *Cooperanten* kommer att bli mycket nervös, han kommer att hämta vatten som du ska dricka. Efter en stund börjar du må bättre. Du ber att få gå till toaletten. När du är ensam därinne hakar du av fönstret. Gör det så att det inte märks. Sedan tackar du för allt *cooperanten* har gjort för dig. Han kommer säkert också att ge dig pengar eftersom du är så hungrig. Sedan kommer du tillbaka hit till oss.

– Om jag ska se hungrig ut måste jag vara mätt, sa Mandioca. Om jag är hungrig och ska se hungrig ut, ser jag bara arg ut.

Nelio pekade på tomatlådan.

– Resten av tomaterna är till Mandioca, sa han. Det är bara en sak du ska tänka på när du är inne i huset. Om du behöver kissa när du är i badrummet så ska du kissa i stolen som har ett lock. Du ska inte kissa i skålen där det finns vattenkranar. Förstår du?

– Jag ska inte kissa, sa Mandioca. Vilken skål?

– Du får se när du är där, sa Nelio. Nu väntar vi här tills *cooperanten* kommer hem.

– Vad händer om han inte åker i morgon? sa Nascimento.

– Alla *cooperantes* ligger på stranden och blir röda när det är lördag och söndag, sa Mandioca. Nelio har rätt.

– Jag har aldrig firat en födelsedag, sa Alfredo Bomba. Hur gör man?

– Man äter och dansar och sjunger, sa Nelio. Det är också precis vad vi ska göra. Och vi ska tvätta oss och sova i sängar och ha ett tak över huvudet. Vi kan titta på bilder i hans teve.

– Han kanske inte har någon teve, sa Nascimento.

– Alla *cooperantes* har teve, sa Nelio. De har ljust hår och de har teve. Det är viktigt att ni lär er, en gång för alla.

Mandioca svimmade på tröskeln till *markesens* hus, hakade upp fönstret på toaletten och fick 20.000 när han hade kvicknat till och kunde lämna huset. Dagen efter stod de på gatan och vinkade åt den ljushårige mannen när han for iväg i sin bil. Nascimento lyckades sent på eftermiddagen få tag på en flaska som var halvfull med vin. Vid åttatiden på kvällen hade nattvakten somnat och de smög sig in i trädgården från baksidan av huset. Genom att klättra upp på Mandiocas axlar nådde Tristeza fönstret och ålade sig in. Strax efter öppnade han ytterdörren som Nelio hade instruerat honom. De dolde sig i skuggorna och väntade tills ett par poliser hade passerat på gatan. Sedan smet de hastigt ut ur skuggorna och försvann in genom dörren. Nelio sa strängt åt dem att stå stilla och inte röra sig förrän han hade kontrollerat att alla gardiner var fördragna. Därefter samlade han dem runt sig i tamburen.

– Nu går alla och tvättar sig. Framförallt är det viktigt att alla är rena om fötterna.

Eftersom han misstrodde deras vilja att tvätta sig ordentligt låste han in dem i badrummet och sa att de skulle bli utsläppta, en efter en, när han själv hade kontrollerat att de var tillräckligt rena. Sedan gick han igenom huset, öppnade de två kylskåpen, bestämde var de skulle sova, slog på teven och tog till slut undan några porslinsvaser som lätt skulle kunna falla ner på golvet och gå sönder.

Nascimento fick tvätta om sina fötter två gånger innan Nelio var nöjd. Därefter samlade han dem i köket.

– *Cooperantes* har alltid mycket mat i sina kylskåp, sa han. Jag är övertygad om att mannen som bor här bara blir glad att vi firar Alfredo Bombas födelsedag med en ordentlig måltid. Nu ska vi laga mat.

Nelio gick till verket som om han hade planerat ett fälttåg. Mandioca fick ta sig an grönsakerna, medan han lät Pecado och Nascimento koka ris. Alfredo Bomba och Tristeza fick hjälpa de andra medan Nelio själv skar upp ett stort köttstycke i småbitar och började steka. När maten var klar satte de sig vid det stora bordet, de hade hittat saft i ett skafferi och de såg på Nelio och väntade på att få börja.

– I dag är det kanske Alfredo Bombas födelsedag, sa han. Åtminstone drömde han att det var det. Nu äter vi.

Vid flera tillfällen under måltiden måste Nelio ingripa när det hotade att utbryta slagsmål om köttbitarna. När Nascimento började bli högljudd utan att han själv tycktes märka det, luktade Nelio på hans glas och insåg att Nascimento hade blandat ut saften med alkohol. Utan att Nascimento märkte något bytte han hastigt ut glaset mot sitt eget och hällde sedan ut det i diskhon. Efteråt, när de också hade hittat två stora glasspaket i en stor frysbox, började de dansa till en radio som Nelio hade hämtat i det stora vardagsrummet. Han tänkte att det var bäst att de fortsatte att vara i köket. Där fanns inga mattor att smutsa ner och golvet var av kakelplattor och lätt att skura. Till en början satt han vid sidan av och betraktade dansen. Någonstans långt inne i sitt huvud tyckte han sig höra tonerna från en *timbila*, och trummorna, i den by som banditerna hade bränt. Plötsligt fanns de alla runt honom i *markesens* kök, andarna som sökte efter honom, alla de döda och alla de som bara kanske var döda, eller fortfarande levde. Han kände att han var på väg att bli så sorgsen att han skulle kunna förstöra Alfredo Bombas fest med sitt dystra ansikte. Han reste sig från stolen och blandade sig i dansen. Han dansade som i en dimma, tills svetten rann ner över hans panna. De fortsatte att dansa till långt in på natten, de dansade tills de inte hade några danssteg kvar i sina ben och höfter.

Alfredo Bomba hade då redan somnat under det stora bordet. Nelio visade var de skulle sova, några i *markesens* säng, andra på soffor. När det var tyst i huset gick Nelio tillbaka till köket och städade. I gryningen kunde ingen som inte öppnade kylskåpet eller frysboxen se att någon hade varit där. Nelio gick genom de tysta rummen och såg på flocken som sov.

Plötsligt fick han en en känsla av att han vandrade i många olika tider och världar samtidigt. Det var som han kunde minnas från den lilla skogsdungen utanför den by där han hade vuxit upp och som banditerna kom för att bränna.

De brände aldrig träden, tänkte han. I hundratals år har

skogen växt. Varje gång det föddes ett barn planterades ett träd. Man kunde se på ett träd hur gammal en människa var. De riktigt höga och grova trädstammarna, som gav den största skuggan, tillhörde människor som redan hade återvänt till andevärlden. Men de levandes och de dödas träd som stod i samma dunge, sökte sin näring i samma jord och från samma regn. De stod där och väntade på de barn som ännu inte var födda, de träd som ännu inte hade planterats. Så skulle skogen växa och byns ålder skulle alltid finnas där. Ingen kunde se på ett träd att en människa var död, bara att hon hade blivit född.

Han såg på de sovande och tänkte att han gick omkring i en värld som kanske egentligen ännu inte fanns. I en framtid skulle de sova i sängar, på soffor och de skulle drömma de drömmar som bara mätta människor drömmer. Framtiden skulle kanske komma att se ut som *markesens* hus.

Det var ett ögonblick när han tyckte att han såg något som de gamla hade talat om, som det största under en människa kunde förunnas att uppleva. Att se det som varit och det som skulle komma i ett och samma ögonblick.

Han visste att han aldrig skulle glömma den natten de hade tillbringat i *markesens* hus. Alfredo Bomba skulle minnas sin födelsedag, Nelio sin känsla av att sväva fritt genom tiden.

Man kan flyga utan att ha synliga vingar, tänkte Nelio. Vingarna finns inom oss, om vi förunnas att se dem.

Den förste som vaknade var Tristeza.

– Vad ska jag tänka på idag, frågade han.

– Tänk på hur det känns att ha rena fötter, svarade Nelio.

De vaknade och gnuggade sömnen ur ögonen. Först såg

de sig runt med undran, sedan kom de ihåg. Det var ännu tidig gryning. Genom att glänta på gardinen hade Nelio kunnat se att nattvakten fortfarande sov.

– Det är dags att gå, sa han. Samma väg som vi kom.

– Hur visste du att det fanns så mycket mat i skåpen som är kalla? frågade plötsligt Nascimento.

– En man som varje dag kommer hem med stora korgar fulla med mat kan inte äta allting själv, svarade Nelio. Du har själv sett det. Frågan kunde du ha svarat på utan min hjälp.

De lämnade *markesens* hus lika omärkligt som de hade kommit.

– Vad kommer han att säga, frågade Alfredo Bomba oroligt, när han upptäcker att all mat är borta?

– Jag vet inte, sa Nelio. Kanske som andra vita som lever i vår värld. Att Afrika och de svarta människorna är obegripliga.

– Är vi det? frågade Alfredo Bomba. Är vi obegripliga?

– Inte vi, sa Nelio. Men världen som vi lever i kan ibland vara svår att förstå sig på.

De kom ut på gatan och visste att de delade en stor hemlighet. Nelio kunde se att de började leta i soptunnor och tigga om att få vakta bilar med större energi än vad som var vanligt så tidigt på morgonen.

Han tänkte att det de hade gjort var en bra sak. Därför skulle de aldrig göra om det.

Den morgonen hade Nelio varit mycket trött. Han hade sagt till att han skulle sätta sig i skuggan av sitt träd och att han inte ville bli störd. De skulle också försöka att låta bli att slåss eller föra mycket oväsen i hans närhet.

Men när han hade kommit fram till sitt träd hade han hajat till och stannat. Det hade suttit någon där. Någon som han aldrig hade sett tidigare. Han blev irriterad över att hans plats vid trädet inte respekterades. Ingen annan än han hade lov att sitta där.

Han gick fram till trädet. Då upptäckte han att det var en flicka som satt där. Och hon var lika vit, lika mycket albino, som Yabu Bata.

Jag väntade på en fortsättning som inte kom. Nelio hade avbrutit sin berättelse och sjunkit undan i tankfullhet. Sedan såg han på mig.

– Jag minns att jag tänkte att det måste betyda något viktigt, sa han, och nu var hans stämma svag, och jag tänkte på såren som svartnade och luktade under bandaget.

– Jag tänkte att det måste betyda något viktigt, fortsatte han. Först hade Yabu Bata visat mig vägen till staden. Och nu satt en flicka i trasiga kläder i skuggan under mitt träd. Jag tänkte att det måste betyda någonting. Och det gjorde det ju också.

Jag tänkte plötsligt på min egen kvinna. Den nya degblanderskan som ingen hade följt hem under natten. Jag kände redan nu en spänd förväntan över att jag skulle möta henne samma kväll igen.

– Jag ser att du tänker på något som gör dig glad, sa Nelio. Om jag inte vore så trött skulle jag vilja höra dig berätta.

– Du måste vila, sa jag. Sedan ska jag föra dig till sjukhuset.

Men Nelio svarade inte. Han hade redan slutit ögonen.

Jag reste mig och lämnade taket.

Den sjätte natten var över.

Den sjunde natten

Kan man höra på en människas steg att hon är förälskad? Om det är så, vilket jag tror, så måste Maria ha förstått att mitt hjärta redan glödde för henne, när jag kom in i bageriet den andra kvällen vi tillsammans skulle baka Dona Esmeraldas bröd. Det var mycket varmt och hon var klädd i en tunn klänning, genom vilken konturerna av hennes kropp var mycket tydliga. Hon hade redan börjat arbeta när jag kom ner från taket och hon log när hon fick se mig.

Nu, mer än ett år senare, kan jag tänka att om allting hade varit annorlunda, om inte Nelio hade dött och jag hade lämnat mitt arbete hos Dona Esmeralda och sedan återuppstått som Vindarnas Krönikör, kanske Maria och jag hade blivit ett par. Men vi blev det aldrig och idag är det inte längre möjligt eftersom hon är bunden till en annan. Jag har sett henne i staden, hon hade då en man mycket tätt vid sin sida, jag tror att han sålde fåglar på en av stadens marknader, och hennes mage hade varit mycket stor. Trots att vår tid tillsammans var kort, och trots att jag aldrig fick veta om mina känslor för Maria var besvarade, så bevarar jag minnet av henne som den största glädjen i mitt liv. En glädje som också inom sig bar fröet till den största sorgen.

Det var som om något kulminerade i mitt liv under de där dygnen när Nelio låg på teaterns tak och långsamt tynade bort av de svarta sår som förgiftade honom och till slut tog livet ifrån honom. Jag tror det är så man måste säga, att livet togs ifrån honom. Döden kommer alltid objuden, den stör och ställer till oreda. Men i Nellos fall kom döden med en kofot och bröt sig in i hans kropp och stal hans ande.

Efteråt, när jag hade lagt av mig min vita mössa, hängt undan förklädet, och lämnat Dona Esmeraldas bageri, var det ett annat liv som hade börjat. Till det livet hade jag inte kunnat ta med Maria, även om jag hade velat. Hur skulle jag ha kunnat be henne följa mig ut i världen som hustru till en man som frivilligt valde att bli tiggare? Hur skulle jag ha kunnat få henne att förstå att det för mig var en nödvändighet?

Men jag har alltså sett henne på stadens gator. Och hon är fortfarande mycket vacker. Jag glömmer henne aldrig. När jag en gång märker att min tid har kommit, när andarna kallar även på mig, ska jag sluta mina ögon, och för mitt inre ska jag återse henne, och i bilden av henne ska jag lämna den här världen.

Jag tror att det kommer att göra döden lättare för mig. Åtminstone hoppas jag det. Eftersom jag är en vanlig, enkel människa, känner jag samma fruktan för det okända som alla andra. Jag har tänkt så att min fruktan inte kommer sig av att livet är kort. Den rysning och det mörker som kan inta mig berättar för mig att jag kommer att vara död så oerhört länge.

Jag hoppas att min ande får vingar. Jag kan inte sitta orörlig i skuggan av ett träd under all den tid jag ska tillbringa i evighetens okända landskap.

Jag tror man kan höra på en människas steg att hon är förälskad. Fötterna snuddar knappt vid jordens yta, all fruktan är besegrad och tiden har lösts upp som dimman, tidigt en gryning.

Maria var den bästa degblanderska jag haft. Jag frågade henne om var hon hade arbetat tidigare och hur Dona Esmeralda hade hittat henne. Men hon skrattade bara åt mig och något svar fick jag aldrig.

Att se henne arbeta var som att höra någon sjunga.

När man ser någon arbeta som hon börjar man också själv att sjunga.

Jag tror att jag bakade det bästa brödet i mitt liv under de där nätterna när Maria hade blandat degen och jag hade följt henne ut på gatan strax efter midnatt och sett henne försvinna i mörkret. Jag längtade redan efter nästa kväll när hon skulle återvända. På ett barnsligt och kanske omoget sätt kunde jag oroa mig över att hon hade försvunnit i mörkret för att aldrig återvända. Men hon kom tillbaka, hennes klänningar var alltid tunna och hon log sitt vackra leende när jag kom ner från taket.

Jag önskade att jag hade kunnat berätta för henne om Nelio. Jag tänkte att hon bättre än jag skulle ha kunnat byta hans bandage och kanske hon också hade lyckats övertyga honom om att tiden nu var mogen för att låta sig bäras ner från taket och föras till sjukhuset om han ville fortsätta leva.

Men jag sa aldrig något till henne. Jag nämnde aldrig heller hennes namn för Nelio.

Där uppe, under stjärnorna, fanns bara han och jag.

När jag kom ut till honom på taket efter det att jag hade skjutit in de första plåtarna i den heta ugnen, fick jag en känsla av att han låg och väntade på mig. Var det ändå så att han höll på att bli bättre? Såren svartnade allt mer och jag höll andan medan jag la om hans bandage eftersom stanken var mycket besvärande. Men kunde det pågå en läkeprocess som inte var synlig för mig? Jag kände på hans panna och fick det nerslående svaret. Den var återigen het. Jag blandade ut fru Muwulenes örter med vatten och han drack men med allt större möda. Det slog mig då att han aldrig någonsin hade frågat mig vad det var för örter jag gav honom. Från det ögonblick jag hade burit upp honom på taket hade han aldrig ifrågasatt min förmåga att vårda honom.

Eller var det så att han redan från början, när skotten hade fallit, visste att det inte fanns någon hjälp?

Jag skulle ha önskat att jag inte hade varit ensam om ansvaret. Det var för stort för mig att ensam kunna bära. Ändå hade jag ingen att dela med. Det hade helt enkelt blivit för sedant.

Jag hjälpte honom att sätta på sig en ren skjorta efter det att jag hade lagt ett nytt bandage. Eftersom det var mycket varmt tog jag av honom filten och la den som en extra kudde under hans huvud. Han var mycket trött, men hans ögon var märkligt klara. Åter fick jag en känsla av att han kunde se rakt igenom mig.

I de ögonblicken, när han såg på mig, var det en tioårig pojke som låg där, med två kulor i sin kropp. Men när febern återkom förvandlades han åter till en mycket gammal man. Jag tänkte att det inte bara var hans medvetande som tycktes kunna vandra obehindrat mellan det som redan varit och det som skulle bli, mellan andarnas värld och den värld vi levde i tillsammans. Även hans kropp kunde växla mellan sina åldrar, det barn han var och den gamle man han aldrig skulle bli, eftersom han då redan skulle vara död.

– Har våra förfäders andar ansikten? frågade jag plötsligt. Var frågan kom ifrån vet jag inte. Det var som om jag först efteråt märkte vad jag hade sagt.

– Människor har ansikten, svarade Nelio. Andar har inga ansikten. Ändå så känner vi igen dem. Vi vet vem som är vem. Andar har heller inga ögon eller munnar eller öron. Ändå kan de se och tala och höra.

– Hur kan du veta? frågade jag.

– Andarna finns här runt oss, svarade han. De finns här. Men vi kan inte se dem. Det viktiga är att vi vet att de ser oss.

Jag frågade inget mer. Jag var osäker på om jag verkligen hade förstått vad han menade. Men jag ville inte trötta ut honom i onödan.

Den natten berättade han om *xidjanans* ankomst.

Det var hon som hade funnits där på morgonen efter det att de hade firat Alfredo Bombas födelsedag i *markesens* hus. Hon hade haft trasiga kläder, hennes ansikte var fullt av brännsår som hon fått av den starka solen, och hon var alltså en albino. Hon hade hört Nelio komma och hastigt vänt sig om.

– Vad gör du på min plats under trädet? hade Nelio frågat.

– En skugga är inget hus som någon kan äga, hade *xidjanan* svarat. Jag tänker sitta kvar här.

Nelio hade aldrig under sin tid på gatan blivit så utmanad som av *xidjanan*. Samtidigt hade han fått en känsla av att hon var både osäker och kanske också vek. Han satte sig på huk en bit ifrån henne och började prata med henne.

– Vad heter du?

– Deolinda.

– Var kommer du ifrån?

– Samma ställe som du. Ingenstans.

– Vad gör du här?

– Jag vill stanna här.

Här hade de blivit avbrutna av Nascimento som från sin plats på flaket till den rostiga lastbil han för tillfället vaktade åt sin ägare hade upptäckt flickan under trädet. Med ett illvrål kom han springande.

– Vad gör *xidjanan* här? Vet du inte att en *xidjana* betyder otur?

– Jag betyder inte otur, svarade flickan och reste sig.

– Du ska bort härifrån, skrek Nascimento och rusade rakt på henne med knutna nävar. Nelio hade inte hunnit ingripa. Men det hade heller inte behövts. *Xidjanan* hade reagerat mycket fort och hade kastat omkull Nascimento. Där låg han och betraktade häpet Deolinda som stod lutad över honom.

– Jag betyder inte otur, sa flickan. Jag kan slå vem som helst. Jag vill vara kvar här.

– Vi kan inte ha en *xidjana* här, sa Nascimento och reste sig.

– Hon heter Deolinda, sa Nelio. Gå tillbaka till lastbilen. Hon var starkare än du.

Nascimento gick därifrån. Nelio såg hur han samlade de andra i flocken uppe på lastbilsflaket. Ingen av dem skulle vilja ha en albino i flocken. Han tänkte också själv att det var bäst om hon försvann. Flocken fick aldrig bli för stor. Då skulle han mista kontrollen och flocken skulle i sin tur mista kontrollen över sig själv.

– Du har satt dig på min plats, sa han. Det är förbjudet. Gå härifrån! Vi kan inte ha en flicka bland oss. Du kan ingenting som vi inte kan.

– Jag kan läsa, sa Deolinda. Jag kan många saker.

Nelio var säker på att hon ljög. Han gick fram till husväggen och pekade på ett ord som någon hade ristat in i muren.

– Vad står det här? frågade han.

Deolinda kisade med sina ögon som smärtade i det starka solljuset.

– *Terrorista.*

Nelio som inte kunde läsa insåg att han inte kunde svara på om det stämde.

– Det är bara för att bokstäverna är mycket stora som du kan läsa dem, sa han undvikande.

Han plockade upp ett sönderrivet tidningspapper från gatan.

– Läs här, sa han och gav pappret till Deolinda.

Hon höll det tätt intill ögonen och började läsa.

– »Ett antal barn ska ges möjlighet att bo i ett stort hus. Ingas barn ska bli Allas barn.«

– Vad betyder det? Ingas barn? Vilka är det?

Hon rynkade pannan och funderade. Så lyste hon upp.

– Kanske det är vi.

Hon fortsatte att stava sig fram.

– »En europeisk organisation ska ge pengar till projektet...«

– Projektet?

– Vi ska bli projekterade. Jag har redan varit projekterad en gång. Jag fick kläder och skulle bo i ett hus med många andra barn. Jag skulle sluta bo på gatan. Men jag projekterade ut mig så fort jag kunde.

Nelio förstod motvilligt att Deolinda faktiskt kunde läsa. Han insåg att hon hade ett bra huvud, trots att det var vitt och fullt av variga brännsår. Ändå tvekade han om hon skulle kunna få lov att stanna i flocken. Kanske var det sant att en albino förde otur med sig. Men han påminde sig också att han av sin far hade hört motsatsen. En *xidjana* kunde aldrig dö, en *xidjana* var i besittning av många underbara krafter.

Det största problemet var dock ett helt annat. Hon var flicka. Få flickor levde på gatorna. Ofta for de mer illa än pojkarna.

Han kände att han behövde vara ensam för att tänka.

– Gå härifrån, sa han. Skaffa två grillade kycklingar. Visa vad du kan. Sedan ska jag bestämma mig.

Deolinda gick. Hon hade en liten väska av sammanvävda bastband över ena axeln. Klänningen hängde i trasor. Men hon rörde sig som om hon när som helst kunde brista ut i dans. Nelio satte sig på sin plats i skuggan under trädet. Vad hade Cosmos gjort? tänkte han. Han försökte se Cosmos framför sig, ombord på ett fartyg, långt borta, mycket nära solen. Han försökte höra hans röst.

– Du är galen om du släpper in henne i flocken, tyckte han sig höra Cosmos röst.

– Hon kan läsa, invände Nelio. Jag har aldrig hört talas om ett gatubarn som kan läsa. Minst av allt en flicka.

– Har du sett hennes ögon, sa Cosmos, och Nelio tyckte att hans röst verkade irriterad. Har du sett att de är röda och inflammerade? Sådana ögon får man om man läser. Sedan blir man blind.

– Alla *xidjanas* har röda ögon, sa Nelio. Även de som inte kan läsa.

Han hörde hur Cosmos suckade.

– Låt henne stanna då, sa Cosmos. Men jaga bort henne så fort det blir problem.

Nelio nickade. Han skulle låta henne stanna. Men bara om hon kom tillbaka med de grillade kycklingarna.

Det blev kväll utan att hon återvände. Nelio tänkte att

hon hade insett att hon inte skulle få stanna och därför inte brytt sig om att skaffa kycklingarna och återvända. Nascimento var mycket nöjd och sa att han skulle slå ihjäl henne om hon visade sig på gatan igen. När Mandioca påpekade att Nascimento hade kastats omkull av en *xidjana* utbröt ett våldsamt slagsmål som Nelio hade stora problem med att få stopp på. Det hade börjat med att Nascimento kastade sig över Mandioca. Men när Alfredo Bomba blandade sig i det hela vändes deras ilska mot honom. Nelio hade lärt sig att slagsmål bland gatubarn följde sina egna lagar och kunde utvecklas åt de mest oväntade håll.

– Hon har gått, sa han när slagsmålet var över. Kanske hon kommer tillbaka, kanske inte. Tills vidare kan vi glömma att hon någonsin har varit här.

De började göra sig i ordning inför natten.

– Vad ska jag tänka på nu? frågade Tristeza.

– Tänk på natten i *markesens* hus, svarade Nelio.

– Jag har slutat att tänka på min bank, sa Tristeza stolt.

– En gång i veckan kan du tänka på den, sa Nelio. Men aldrig på eftermiddagen när vi har vår siesta.

På morgonen dagen efter hade Deolinda kommit tillbaka. Nelio upptäckte henne där hon åter satt under hans träd. När han kom fram till henne tog hon upp två kycklingar ur sin väska.

– Var fick du tag på dem? frågade han.

– En ambassadör hade stor middag i sin trädgård. Jag klättrade över två staket och gick in i köket när ingen såg mig.

Nelio visste inte vad en ambassadör var för någonting. Han tvekade ett ögonblick om han skulle visa Deolinda att han inte visste. Sedan tog nyfikenheten överhanden.

– En ambassadör? sa han.

– En ambassadör för ett land långt borta.

– Vilket land?

– Europa.

Nelio hade hört talas om Europa. Det var därifrån *markeserna* kom, alla de som var *cooperantes* och hade små väskor med pengar på magarna.

Han smakade på den ena kycklingen.

– Det är för lite piri-piri, sa han.

Deolinda öppnade sin väska och tog upp en liten glasburk.

– Piri-piri, sa hon.

Flocken hade försiktigt närmat sig. Nelio delade upp de två kycklingarna mellan dem. Nascimento vägrade till en början att ta emot sin del men ryckte till sist åt sig den och satte sig en bit bort. Från det ögonblicket var Deolinda en av dem. Nelio mindes Cosmos ord, vem han tillhörde, och att han från det ögonblicket var en av dem. Nu hade de tagit till sig Deolinda, och Nelio visste att flocken nu var färdigbildad. Det skulle aldrig komma någon ny medlem utan att någon annan först försvann.

När kycklingarna var borta sa han åt Nascimento att sätta sig närmare.

– Deolinda ska från och med nu vara med oss. Det betyder att ingen får slå henne utan att först be mig om tillåtelse. Eftersom hon är ny får hon bara en halv andel av våra pengar. När vi tycker att hon förtjänar det ska hon få lika mycket som vi andra. Ingen får heller kalla henne *xidjana* om inte hon själv går med på det. Deolinda får å andra sidan inte utnyttja det faktum att hon är flicka. Hon ska vara precis som vi andra.

Nelio tänkte efter om det var någonting han hade glömt. Efter lite tvekan gjorde han ett tillägg.

– Om Deolinda vill vara ensam när hon kissar kan hon få lov till det. Dessutom kan hon ha en egen filt när det är kallt om nätterna. Men filten får hon skaffa själv.

Nelio såg sig runt, om det var någon som ville tala.

– Vad ska vi med henne till sa Nascimento. Hon är varken svart eller vit och hon för otur med sig.

Till allas förvåning var det Tristeza som kommenterade det Nascimento hade sagt.

– Det är kanske bra. När hon är tillsammans med oss är hon en *xidjana*. När hon är tillsammans med vita är hon vit. Hon kan vara både de och vi.

– Ett bra svar, sa Nelio. Snart har du förtjänat dina gymnastikskor.

Det dröjde inte länge förrän Nelio insåg att han hade gjort rätt som släppt in Deolinda i flocken. Hon var duktig på att tigga, hon hade lätt att se möjligheter i olika situationer som oväntat uppstod på gatan. Dessutom kunde hon slåss och försvara sig. Snart var det ingen som vågade ge sig på henne utan att riskera att hon visade sig vara den starkaste. Det var bara Nascimento som fortfarande öppet visade sitt missnöje med hennes närvaro. Nelio började misstänka att Nascimento en dag kanske skulle lämna dem och söka sig till en annan grupp med gatubarn. Han tog med sig Nascimento till baksidan av bensinstationen och frågade honom rakt ut om han var på väg att ge sig av.

– Nej, sa Nascimento.

Nelio hörde att han ljög. Men han insåg också att det inte fanns någonting han kunde göra om Nascimento bestämde sig för att lämna dem.

Det tog lång tid innan Nelio började förstå något av det som hade fört Deolinda ut på gatorna. När han frågade henne fräste hon bara till svar att ingen hade med det att göra. Det var först när han öppnade hennes bastväska medan hon sov och såg att där låg ett fotografi av en man och kvinna som han började ana något av det som låg bakom. Mannens ansikte var utplånat. Med en nagel eller en sten hade ansiktsdragen skrapats bort. Nelio la tillbaka fotografiet och skämdes över att han hade öppnat väskan. En hemlighet skulle man aldrig tvinga någon att avslöja; man hade heller inte rätt att stjäla sig till kunskap för att stilla sin nyfikenhet.

Nelio påminde sig något hans mor en gång hade sagt: En människa har inte lov att bryta sig in som en tjuv om natten i en annan människas hjärta.

Nelio märkte snart att Deolinda och Mandioca blev vänner. Ofta satt de på huk på gatan och viskade om något, innan de bröt ut i skratt. Om Nascimento fanns i närheten slog han ilskna lovar runt dem utan att våga bryta in i deras gemenskap. Men de tycktes inte märka honom.

En kväll när Nelio var på väg hem till sin staty märkte han att Deolinda följde efter honom. Hans första tanke var att stanna och säga åt henne att gå tillbaka till de andra. Sedan insåg han att det nu fanns en möjlighet för honom att ta reda på vad som hade fört henne ut på gatorna. När de kom fram till det lilla torget som nu låg övergivet, bortsett från de sovande nattvakterna och mannen som sålde kycklinglår från sin koleldade tunna, satte han sig vid foten av statyn. Deolinda hade stannat i gathörnet och försökte gömma sig i skuggorna. Men han ropade att han hade sett henne. Han tänkte att hon skulle vara generad över att ha blivit ertappad.

– Vem har gett dig lov att följa efter mig? sa Nelio.

– Jag ville se var du bor, svarade hon, och såg honom stint in i ögonen.

– Du kan följa efter mig resten av livet. Men du kommer ändå aldrig att få veta var jag bor.

– Varför inte?

– Därför att jag plötsligt bara försvinner.

– Det vill jag se.

Nelio nickade.

– Om jag lyckas försvinna utan att du märker det. Vad ger du mig då istället?

Hon drog sig plötsligt ett steg tillbaka.

– Jag vill inte göra *xogo-xogo*.

Nelio blev generad. Han visste vad *xogo-xogo* var. Men han hade aldrig gjort det. Han visste att han ännu inte var vuxen nog för att ens ha lust att göra det.

– Jag vill bara veta varifrån du kommer. Ingenting annat.

– Varför vill du veta det?

– Du kan inte fortsätta att vara kvar i flocken om jag inte vet varifrån du kommer. Vad gjorde du dagen innan du satte dig på min plats i skuggan vid trädet? Varför satte du dig där? Jag har många frågor.

Han såg att hon tänkte efter. Sedan nickade hon.

– Du kan inte försvinna utan att jag märker det. Därför ska jag svara på dina frågor.

– Vänd dig om och blunda. Håll för öronen. Räkna till tio. Kan du räkna?

– Jag kan allt. Jag kan räkna och läsa och skriva.

– Hur har du lärt dig det?

Hon svarade inte.

– Vänd dig om, sa han. Blunda och räkna högt till tio. Håll samtidigt dina händer för öronen. Om du tjuvtittar kommer du att bli blind.

Nelio märkte att hon ryggade till. Han insåg att även hon hade hört talas om hans övernaturliga krafter.

Hon vände sig om, blundade och började räkna. Hastigt öppnade Nelio luckan och kröp in i hästen. Genom ett hål strax intill hästens man kunde han se henne. Hon räknade färdigt och vände sig om. Torget låg öde, det fanns ingenstans han kunde ha gömt sig, och han kunde heller inte ha hunnit springa till gathörnet och försvinna.

Nelio försökte tyda Deolindas tankar genom att se på hennes ansikte. Han anade att hon stod inför något hon inte hade väntat sig.

Sedan gick hon därifrån. Nelio väntade tills han var säker på att hon hade lämnat torget. Då kröp han åter ut ur luckan och sprang genom de nattomma gatorna, den kortaste vägen han visste om, tills han var tillbaka vid justitiedepartementets byggnad, där de övriga i flocken redan låg och sov. Han satte sig vid sitt träd och väntade. När han såg henne komma reste han sig och gick emot henne. Hon ryggade när hon fick syn på honom.

– Jag försvann och jag kom tillbaka, sa han.

Han sträckte fram sin hand emot henne.

– Rör vid handen. Den är varm. Det är ingen skugga eller vålnad som står här.

Hon rörde försiktigt vid hans hand med fingertopparna.

– Människor sover alldeles för mycket, sa Nelio. Låt oss använda natten till att tala.

Han tog henne med sig till den botaniska trädgården som låg i backen upp mot sjukhuset. Grindarna var låsta med grova kedjor och hänglås. Men Nelio visste var det fanns ett hål i staketet. Där kröp de in och han förde henne till en bänk som fortfarande gick att sitta på. Alldeles intill den botaniska trädgården låg ett hotell, vars namnskylt lyste upp den plats där bänken stod.

Hennes ansikte var mycket vitt.

Nelio såg på hennes trasiga klänning och tänkte att de snart måste samla ihop pengar så att hon kunde köpa en ny.

Han behövde aldrig ställa några frågor. Hon började tala om sitt liv av sig själv, han anade att det var en lättnad för henne, och han lyssnade uppmärksamt på det hon hade att säga.

Hon var född i en av de fattigaste förorterna till staden, ett antal skjul och ruckel som omgärdade stadens träskliknande sophög. Hon hade fötts och hon hade varit albino. Hennes far hade vägrat att se henne, han hade anklagat hennes mor för att ha avlat barnet med en död man som hon träffat i hemlighet om natten på en kyrkogård. Han hade därefter jagat ut henne ur sitt hus. Av sin mor hade hon sedan fått veta att det hade varit en tid av den största förtvivlan. Men modern hade aldrig dödat henne, aldrig kvävt henne och grävt ner henne bland soporna för att kunna återvända till sin man. Med sin dotter hade hon gett sig av till en by som låg många dagars vandring från staden. Där hade hon haft en syster och där hade de kunnat bo. Hennes tre andra barn hade blivit kvar hos fadern och hon hade sörjt dem så svårt att hon i långa tider varit nära att dö. Det kom en dag efter många månader ett budskap från mannen som sa att hon aldrig behövde återvända, han hade skaffat en ny kvinna som aldrig skulle föda honom en albino. Barnen skulle stanna hos honom och han förbannade den vanära hon dragit över honom genom att vara honom otrogen med en vålnad på en kyrkogård.

– Jag föddes med en vålnad som far, sa Deolinda, och det lät som om hon spottade när hon talade. I dag, när jag har blivit vuxen och klok, inser jag att det är sant. Min far är en vålnad, även om han lever.

– Hur gammal är du? hade Nelio frågat.

Hon ryckte på axlarna.

– Elva år. Eller femton. Eller nittio.

– Jag tror du är tolv, sa Nelio.

– Om jag är tolv ska jag fortsätta att vara det resten av mitt liv, sa hon. Varför ska man alltid byta sin ålder mot en annan?

– Jag har tänkt samma tanke, sa Nelio. Jag tror jag kommer att vara tio år tills jag en gång tröttnar. Då ska jag bli nittitre.

Grodor kväkte i den botaniska trädgårdens damm. Deolinda hade några halvruttna bananer i sin flätade väska som de delade.

När hon hade lärt sig att gå och redan hade lagt fyra regntider bakom sig hade hon på allvar insett att hon var annorlunda. Men då, när hon kanske skulle ha behövt sin mor mer än någonsin, drabbades modern av ett vansinne som inte ens den omtalade *curandeiro* som skickades efter från en annan by kunde kurera. Hon slutade helt att äta, hon ville inte längre fläta sitt hår och började gå omkring i byn utan kläder. Till slut hade systern stängt in henne i en hydda och spikat igen dörren. Genom spjälorna i väggen satte de in vatten åt henne. Det var också där inne hon dog efter att en natt ha stuckit ut sina ögon med en spetsig flisa från ett av de bamburör som höll taket uppe. Det sista Deolinda mindes av sin mor, var hennes händer som stack ut ur spjälorna i hyddans vägg. Det var som om det var allt som fanns kvar av henne. Två tomma händer som oroligt vred sig kring varandra.

Efteråt, när modern var död, hade hennes syster blivit annorlunda. Hon hade anklagat Deolinda för systerns död, Deolinda hade ofta blivit slagen och ibland inte fått någon mat. Hon hade försökt förstå varför hon var annorlunda men ingen kunde ge henne något svar. Därför hade hon också börjat tro att hon bar på all den skuld man påla henne. I henne hade förfäderna samlat sina ogärningar och de hade valt henne att bära dem. Hon hade insett att hon inte kunde stanna i byn och den ende hon kunde tänka på som kunde hjälpa henne var hennes far. Hon hade lämnat byn en natt när alla sov och hon hade sedan aldrig återvänt. När hon kommit till staden och letat reda på sin fars hus som låg vid den stinkande sophögen hade han jagat henne därifrån med en käpp och sagt åt henne att aldrig återvända. Efter det hade bara stadens gator återstått för henne. Många gånger hade nunnor tagit henne med sig till ett barnhem. Men hon hade aldrig stannat längre än några få dagar. På stadens gator fanns andra som var lika vita som hon. En del av dem hade till och med bilar, de hade arbeten och de bodde i ordentliga hus. Framförallt hade hon upptäckt att de också hade svarta barn. På gatorna i staden var hon inte ensam om att vara annorlunda.

– Jag ska leva tills jag kan få barn, sa hon. Jag ska föda tusen barn och de ska alla vara svarta. Sedan när jag inte kan få fler barn ska jag slå ihjäl min far.

– Det är nog ingen bra idé, sa Nelio eftertänksamt. Om du absolut måste ha ihjäl honom så är det bättre att du ber någon annan. Jag tror inte det är så bra att sitta i fängelse.

– Jag vill att du lär mig hur man försvinner, sa Deolinda.

– Det kan jag inte, sa han. Jag vet inte själv hur jag gör. Svara hellre på varför du ville vara hos oss.

Hon satt länge tyst. Nelio kunde se att hon tvekade. Han slöt ögonen för att sova en stund på bänken medan han väntade.

Han vaknade med ett ryck när hon rörde vid hans axel.

– Du sov, sa hon.

– Jag tycker inte om att vänta på någonting, sa Nelio. Istället för att vänta gör jag något annat. Just nu sov jag.

– Cosmos är min bror.

Han blev mycket överraskad. Han tänkte länge på det hon hade sagt. Kunde det verkligen vara sant?

– Han såg hur min far jagade bort mig med en käpp. Då bodde han fortfarande hemma. Sedan började vår far slå även honom. Han kom till staden. Han blev ledare för dem som sover där borta i trappan. I hemlighet träffades vi ibland. Han sa att jag kunde komma hit när han själv hade gett sig ut på sin resa. Det var också han som lärde mig läsa, skriva och räkna.

– Men han kunde inte veta att jag skulle ta emot dig?

– Han trodde att du skulle göra det.

Nelio fortsatte att tänka på den märkliga nyhet han fått.

– Var det därför Cosmos gav sig ut på sin resa frågade han sedan. För att du skulle kunna komma till oss?

– Kanske.

– Cosmos borde hänga på väggen i en kyrka, sa Nelio tankfullt. Inte han själv, men en bild av honom. Hans ansikte utskuret i trä. Som ett helgon.

De lämnade den botaniska trädgården och kröp ut ur samma hål som de kommit in igenom.

– När jag blir stor ska jag sjunga för hela världen, sa

Deolinda plötsligt, medan de var på väg genom den tomma staden.

– Kan du sjunga?

– Ja, sa Deolinda. Jag kan sjunga. Och min röst är mycket svart.

– Alla människors tungor är röda, sa Nelio. Liksom allt blod. Det är mycket man kan fundera på. Mycket som är underligt.

Deolinda rullade in sig i sin filt vid sidan av Mandioca. Tristeza och Mandioca låg på varsin sida om Nascimento som krupit in i sin pappkartong och stängt locket. De låg som två väktare, beredda på att Nascimento skulle anfallas av monstren som alltid lurade på honom i hans drömmar. Nelio betraktade tankfullt den luggslitna flocken. Sedan gick han hem till sin staty. Han tänkte på det Deolinda hade berättat. På vägen passerade han ett stort hotell där festklädda människor var på väg till sina bilar. Han stannade ett ögonblick och betraktade rikedomen. Sedan fortsatte han vägen hem.

Men när han hade krupit in i statyn och lutat huvudet mot hästens vänstra bakben kunde han inte somna, trots att det redan var sent på natten. Han började tänka tillbaka på det liv han hade levt tidigare, innan banditerna hade kommit smygande ur natten och bränt deras by. Det var som om han sögs bakåt i tiden av en osynlig vind. Plötsligt var hästens mage full av andar som strödde minnesbilder över honom. Han överväldigades av en stor sorg, så stor att den nästan blev för tung för hans magra kropp att bära.

Det var gryning. Den torra jorden virvlade utanför hyddan. Hans mor stötte korn. Och hon sjöng. Han vaknar på bastmattan inne i hyddans mörker. Doften av brinnande ved tränger in genom hyddans öppning. Doften av brin-

nande ved som varje morgon påminner honom om att han ska leva ännu en dag. När han kommer ut i det starka solljuset kan han se att allt är sant. Hans mor som stöter den tunga stocken mot majsen, hans nyfödda syster som hänger på hennes rygg...

Han reste sig inne i hästen och ställde sig raklång, med huvudet inne i ryttarens bröstkorg. Det var som om hästen levde. Han tänkte att han mycket snart måste återvända hem. Han måste få veta vad som hade hänt, vilka som fortfarande levde, vilka som var döda.

Andarna som svävade runt honom hade inga ansikten. Hela tiden fruktade han att han plötsligt skulle känna närvaron av sin far, eller sin mor, eller sina syskon. Då skulle de vara döda. Och han skulle få ändå svårare att leva, leva det liv han levde nu, som bara var ett överlevande.

Den tid som följde skulle Nelio efteråt minnas som den tid när han aldrig dansade och heller aldrig log. Han kunde inte dölja att han var dyster till sinnes, och han såg heller ingen mening i att försöka. Ofta blev han irriterad över att han alltid blev störd, av Nascimento som ständigt var på väg från ett slagsmål till ett annat, av Tristeza som varje dag kom och frågade vad han skulle tänka på och om när han skulle få köpa sina gymnastikskor. Nelio kunde brusa upp och bli arg, och efteråt blev han ännu dystrare vid tanken på att han gjort något som alltid varit Cosmos främmande. Deolinda som märkte att han ville vara ifred försökte skydda honom. Hon jagade bort flocken när hon kunde, och såg alltid till att Nelio hade något att äta utan att själv behöva klättra runt i sophögarna och leta efter matrester.

Nelio tänkte ofta på Cosmos när han satt i skuggan av sitt

träd. Han undrade om han fortfarande levde, om han hade drunknat på havet, eller om han hade kommit så nära solen att han tagit eld och brunnit upp. Han undrade om Yabu Bata hade funnit den stig han letat efter i mer än nitton år.

När tankarna blev för tunga lämnade han gatan och gjorde långa ensamma vandringar. De andra skickade då alltid någon efter honom, för att se till att han inte gick rakt ut i havet och försvann. Nelio hade naturligtvis märkt att det alltid var någon som följde efter honom på avstånd. I vanliga fall skulle han ha stannat, vänt sig om och sagt till att han ville bli lämnad ifred. Men inte ens det orkade han göra. Han gick och gick, ibland så långt att han nådde den plats där han suttit natten innan han för första gången gjorde sitt inträde i staden. Ofta återvände han när mörkret redan hade fallit.

Det var Mandioca som föreslog att de skulle försöka muntra upp Nelio genom att ge honom en hund. Ofta satt de och pratade bekymrat om Nelios frånvaro och tungsinne.

– Han tänker för mycket, sa Nascimento. Cosmos tänkte aldrig så många tankar. Han har blivit sjuk i sitt huvud. Det har svullnat av allt han går och funderar på.

– Vad han behöver är en hund, sa Mandioca. Har man hund hinner man inte tänka.

– Vad vet du om hundar? sa Deolinda.

– Jag hade en hund en gång, sa Mandioca sorgset.

– Vad hände med den? frågade Deolinda.

– Den sprang bort, svarade Mandioca. Jag letar efter den varje dag. Den kanske söker efter mig.

– Den är död för länge sedan, sa Nascimento ilsket. Hundar dör fortare än människor.

Det höll på att bli slagsmål mellan Mandioca och Nascimento. Men Pecado gick emellan och sa att de skulle bekymra sig för Nelio istället för att slåss.

Efter att ha talat för eller mot det lämpliga i att skaffa en hund åt Nelio bestämde de sig för att det ändå var värt att försöka. Dagen efter fångade de en brun hund nere i hamnen. Den bet Nascimento i handen, men de lyckades till slut få ett koppel runt halsen, och släpade den tillbaka i triumf. Nelio satt i skuggan av sitt träd när de kom med hunden.

– Vi vill ge dig en hund så att du blir på bättre humör, sa Pecado. Den har inget namn. Den måste nog också tämjas. Den bet dessutom Nascimento i handen. Men den kan säkert bli ett bra sällskap.

Nelio stirrade på hunden som ömsom skällde och ömsom gnällde. Han tänkte på hundarna som banditerna hade dödat när de bränt hans by.

Han tog kopplet som Alfredo Bomba höll i handen.

– Jag tackar er för att ni har fångat en hund åt mig. Jag tar emot den och jag ger den namnet Rico. En gathund är fattigare än vad vi är. Men jag kan ändå ge den ett bra namn. Jag ska behålla den till i morgon. Sedan släpper jag den fri igen. Men det kommer fortfarande att vara min hund. I morgon kommer jag också att vara på bättre humör. Gå härifrån nu och lämna mig ifred.

Under natten stod hunden bunden utanför ryttarstatyn och skällde. Tidigt i gryningen släppte Nelio den lös. Den sprang omedelbart därifrån och han såg aldrig Rico igen. Under natten när han hade legat vaken av hundens skällande hade han tänkt att han var tvungen att göra något åt sitt dåliga humör. Han kunde inte fortsätta att vara ledare för flocken om han alltid var otålig och ilsken. Han kunde dock inte lämna dem eftersom han hade avgett ett löfte till

Cosmos. Det fanns heller ingen av de andra som kunde överta ledarskapet.

Den enda han kunde tänka sig var Deolinda. Men det skulle aldrig gå. En albino som dessutom var flicka kunde inte leda en grupp med vilda gatubarn.

Dagen efter samlade han dem runt sig på baksidan av bensinstationen.

– Jag har haft mycket att tänka på under den senaste tiden. Men det har varit svårt eftersom ni hela tiden för oväsen. Men från och med idag är allting annorlunda. Jag ska inte sitta ensam i skuggan under trädet så ofta.

Hans ord hade den verkan han hade hopppats på. Han kunde se att de blev lättade. För att ytterligare understryka att han var som vanligt igen, gav han besked om att alla skulle arbeta extra mycket och inte sova siesta i onödan. För de pengar som de fick in skulle Tristeza få lov att gå till en skoaffär och välja ett par gymnastikskor. Dessutom skulle Deolinda från och med nu få samma andel som de andra. Och de skulle också köpa en ny klänning åt henne.

– Att vi går i trasiga kläder är en sak, sa Nelio. Men Deolinda är flicka. Hon ska vara ordentligt klädd. Men du måste tvätta dig ordentligt innan du sätter på dig den nya klänningen. Du ska också behålla den gamla. Den ska du ha på dig när du klättrar i soptunnorna och letar efter mat.

Några dagar senare gick Tristeza med högburet huvud in i en skoaffär och när han kom ut hade han ett par vita gymnastikskor på fötterna. Samma eftermiddag köpte också Deolinda en ny klänning som var röd och hade vita bårder kring ärmarna.

– Jag trodde att alla dystra tankar kunde jagas bort, sa Nelio till slut, när gryningen redan var nära, den åttonde dagens morgon. Men jag tog miste. Ty några dagar senare hände det som gjorde att Deolinda försvann och aldrig mer kom tillbaka. Dessutom började Alfredo Bomba bete sig underligt.

Nelio tystnade tvärt, som om han plötsligt hade sagt för mycket.

– Alfredo Bomba, sa jag, och försökte hjälpa honom vidare.

Nelio såg länge på mig innan han svarade. I morgonrodnadens blänk mot hans panna kunde jag se att han svettades. Återigen var han på väg in i ett feberanfall.

Till slut, när jag började frukta att han redan hade somnat, öppnade han åter sin mun.

– Alfredo Bomba började bete sig underligt. Och allt hände, som slutade med att du hittade mig, och bar mig hit upp på taket.

Jag insåg då att vi hade nått fram till slutet på historien. Nu skulle jag få veta vad som hade hänt den där natten nere på den tomma teatern. Kanske skulle jag bara behöva vänta en natt till innan jag fick svar på det jag grubblat över.

Nelio låg med slutna ögon. Jag hade ställt en kopp med vatten intill madrassen. Försiktigt reste jag mig upp för att gå ner på gården och tvätta mig. Jag skulle också tvätta mina kläder som hade börjat lukta.

Då talade Nelio igen. Han talade utan att öppna ögonen.

– Det är inte lätt att dö, sa han. Det är det enda som ingen kan lära oss på förhand.

Han sa inte mer. När jag gick nerför vindeltrappan var jag rädd. Jag kunde inte skjuta undan tankarna längre, jag kunde inte bedra mig själv med falska förhoppningar.

Nelio skulle dö där uppe på taket. Han hade vetat det hela tiden.

Jag satte mig i mörkret i trapppan och grät. Det är inte ofta jag gråter. Jag kunde inte minnas när det senast hade skett. Jag är en människa som skrattar. Men den morgonen satt jag i den mörka trappan och grät, och jag tänkte att allting var för sent, och att en tioårig pojke som är en gammal man, ändå bara är ett barn.

Ett barn ska leva, inte dö.

Jag lånade pengar av en av flickorna i bröddisken och gick sedan till en av stadens *barraccas* och drack *tontonto*. Efter en kort stund var jag mycket berusad, och jag somnade på marken.

När jag vaknade många timmar senare var det någon som hade stulit mina skor, och jag fick gå barfota tillbaka till bageriet.

Jag minns att dagen var mycket het. Havet var vindstilla.

Jag tvättade mig länge under vattenpumpen på bakgården.

När Maria kom gående stod jag på gatan och väntade på henne. Jag kunde inte få nog av hennes leende. Men mina tankar var hela tiden hos Nelio som låg däruppe på taket. Ingen hade lärt honom hur man bär sig åt när man ska dö.

Finns det någon större ensamhet? När en människa inser att hon måste dö, och ingen är i hennes närhet som kan lära henne hur man gör?

Jag tänkte på den stora ensamheten och det jag kände då har efteråt aldrig lämnat mig ifred.

Vid midnatt följde jag Maria ut på gatan igen. När hon hade gått några steg vände hon sig om och vinkade.

Sedan återvände jag till taket.

Det var den åttonde natten.

Den åttonde natten

När jag kom upp på taket och såg Nelio var han redan död.

Jag blev stående orörlig och något hårt grep mig runt mitt hjärta.

Vad jag tänkte i det ögonblicket minns jag inte längre. Men jag tror det är så, att när en annan människa dör, försvarar sig det liv man själv har genom att uppbåda alla krafter för att hålla förgängelsen på avstånd.

I dödens närhet blir livet alltid mycket tydligt.

Men vad jag tänkte kan jag inte alls längre minnas.

Så insåg jag att jag hade haft fel. Han var inte död, han levde ännu. Eller om han för en kort stund varit död så återvände han till livet eftersom jag kallade på honom. Jag hade viskat hans namn, Nelio, och plötsligt rörde han sig, mycket svagt, men ändå en fullt tydlig rörelse mot madrassen. Jag gick ner på knä vid hans sida och lutade mitt ansikte tätt mot hans mun, och jag kunde känna att han fortfarande andades.

Men fanns han kvar eller var han på väg bort? Jag måste ha drabbats av panik, för jag började ruska och skaka honom och ropa hans namn. Om sömnen och medvetslösheten är den enda erfarenhet vi har som lär oss något om vad döden innebär, hade han redan sjunkit mycket djupt. Jag skakade en kropp som redan kändes långt borta. Eftersom han vägde så lite var det som att skaka ett knippe fjädrar, eller ett tomt skal, där anden redan har gett sig av.

Till sist återvände han, om än motvilligt, till livet och slog upp ögonen. Han var mycket trött och verkade också vilsen och förvirrad. Jag är inte ens säker på att han kände igen mig.. Det tog lång tid innan han tycktes falla till ro igen. Jag gav honom vatten och fru Muwulenes örter att dricka.

– Jag drömde att jag dog, sa han. När jag ville driva mig upp till ytan igen var det något som höll igen i mina ben. Sedan lyckades jag sparka mig fri. Men jag gjorde det bara för att jag ännu inte har avslutat min historia.

Efteråt bytte jag hans bandage. Hela hans bröstkorg var nu infekterad. Mörka ränder hade spridit sig långt ner mot ljumskarna och upp på axlarna. Stanken var mycket svår att uthärda. Jag tänkte att det var meningslöst, kulorna spred sitt gift i hans kropp med allt större hastighet, och hans motståndskraft hade tvingats att ge upp.

– Jag måste ta dig till sjukhuset, sa jag.

– Min berättelse är ännu inte slut, svarade han.

Jag sa inget mer. Jag visste att jag aldrig skulle få lov att ta med honom till sjukhuset. Han skulle vara kvar på taket tills han var död.

Ingen hade haft några pengar att låna mig. Dona Esmeralda var denna månad mycket sen med att betala oss våra löner. För att kunna ge Nelio att äta hade jag kokat några av de ägg som tillhörde bageriet och mosat dem i en kopp. Jag var tvungen att mata honom och han åt mycket långsamt. Efteråt rättade jag till filten under hans huvud. Natten var kvav och det var vindstilla. Han låg och såg upp mot den klara natthimlen där stjärnorna gnistrade.

– *Opixa murima orèra. Mweri wahòkhwa ori mutokwène, etheneri ehala yàraka*, sa han plötsligt.

Jag blev förvånad över hans ord. Jag kunde påminna mig att jag en gång hade hört en gammal kvinna i min by säga samma sak:

Månen försvinner efter att ha varit stor, stjärnorna fortsätter att lysa trots att de är små.

Jag såg upp mot himlen.

– Månen återvänder, sa jag.

– Stjärnorna kan inte minnas, svarade Nelio. För dem är månen alltid en främling som kommer på besök och sedan åter ger sig av. Bland stjärnorna är månen den evige främlingen.

Hundar skällde oroligt i den kvava natten. Trummor hördes på avstånd från andra sidan flodmynningen. Eldar flammade och jag tyckte mig kunna se små dvärgliknande skuggor som rörde sig till trummornas rytmiska dunkande.

Nelio trodde att Deolinda hade kommit för att stanna. Men han hade tagit miste. Eftersom han sov i sin staty om nätterna hade han till en början inte varit klar över vad som höll på att ske. Det var först när Mandioca en dag kom och satte sig bredvid honom i skuggan av trädet som han förstod att allt inte var som det skulle. Mandioca var osäker och brydd. Han satt och vred en lök mellan sina fingrar. Det var ovanligt att Mandioca ensam sökte hans sällskap. Därför insåg Nelio att Mandioca måste bära på något som var viktigt och som tyngde honom.

– Vad vill du? frågade han när lämplig tid och tystnad hade förflutit.

– Ingenting, svarade Mandioca.

Nelio insåg att ännu mer tid måste gå innan Mandioca kände sig beredd att börja tala.

– Skuggan är ännu lång, sa Nelio. Jag stannar här tills den är borta. Innan dess måste du säga vad det är du vill.

Mandioca grävde i sina fickor där hans plantor grodde. Han vek upp fickorna så solen kunde belysa bladen. Nelio hade tidigare till sin häpnad insett att plantor verkligen kunde växa i Mandiocas fickor. Det var som om Mandioca själv var en växt, ett ungträd, där armarna ännu var som smala grenar utan blad.

– Någonting är inte bra, sa Mandioca till slut, när skuggan redan hade börjat smalna.

– Det du sa nu betyder ingenting, sa Nelio. Tala tydligt om du vill tala med mig. Mumla inte.

– Det är Nascimento, sa Mandioca.

Nelio tyckte att det verkade som om Mandioca befann sig i en brottningsmatch med orden.

– Vad är det med Nascimento?

Det blev åter tyst. Nelio suckade och fortsatte att betrakta skuggan som smalnade. En ödla kilade mellan hans fötter och försvann i en springa mellan gatstenarna.

– Vad är det med Nascimento? upprepade han.

Efter den långa och tröga inledningen på samtalet kom Mandiocas svar överraskande fort.

– Nascimento vill göra *xogo-xogo* med *xidjanan*, sa Mandioca. Men jag tror inte *xidjanan* vill.

Nelio övervägde en stund vad han hade hört innan han ställde nästa fråga.

– Har han sagt det?

– Han har redan försökt.

– Vad hände då?

– *Xidjanan* ville inte.

– Kalla henne inte *xidjana*. Vi har bestämt att vi ska använda hennes riktiga namn.

– Deolinda ville inte.

– När hände det?

– I natt.

– Vad hände?

– Nascimento trodde att alla sov. Men jag var vaken. Nascimento drog bort *xidjanans* filt.

– Hon heter Deolinda.

– Nascimento drog bort Deolindas filt.

– Vad hände sedan?

– Han drog upp hennes kjol för att se efter hur hon såg ut under.

– Såg han det? Har Deolinda ingenting på sig under kjolen?

– Jag vet inte. Deolinda vaknade.

– Vad hände då?

– Nascimento ville att hon skulle dra upp kjolen och visa hur hon såg ut.

– Gjorde hon det?

– Hon blev arg och la sig för att sova igen.

– Vad sa Nascimento?

– Han sa att nästa natt skulle de göra *xogo-xogo*, vare sig hon ville eller inte. Annars skulle Nascimento slå henne.

– Och nästa natt är den natt som nu är på väg?

Mandioca nickade. Det långa samtalet hade tagit på hans krafter. Nelio flyttade sig i skuggan som nu var mycket smal och tänkte på det han hade hört.

– Om Deolinda inte vill göra *xogo-xogo* med Nascimento så klarar hon också att förhindra att det sker. Hon har redan kastat honom i backen en gång.

Nelio betraktade samtalet som avslutat. Men Mandioca satt kvar.

– Är det något mer du vill?

– Nascimento kanske inte vet att det är farligt att göra *xogo-xogo* med en albino.

– Varför skulle det vara farligt?

– Alla vet att man fastnar.

– Fastnar?

– Nascimento kommer att sitta fast. Han kommer aldrig att kunna ta sig loss. Det kommer att se mycket underligt ut.

– Det där är bara påhitt. Det är inte sant.

– Deolinda kanske inte vet det.

Nelio insåg nu att Mandiocas verkliga bekymmer var om Nascimento skulle fastna eller inte.

– Ingenting kommer att hända, sa han. Nu är skuggan borta. Vi behöver inte prata mer om det här.

Men den natten, när Nelio låg och sov i hästens mage, vaknade han plötsligt ur oroliga drömmar. Han hade sett Deolindas ansikte framför sig, det hade varit förvridet av rädsla eller vrede och hon hade talat till honom utan att han hade förstått vad hon hade sagt. Fylld av onda aningar drog han på sig sina byxor och kröp ut genom luckan. Sedan sprang han så fort han orkade genom staden. Men när han kom fram till trappan där flocken låg sammanflätad mellan pappkartonger och filtar var Deolinda försvunnen.

Mandioca var vaken.

– Var är Deolinda? frågade han med låg röst för att inte väcka de andra.

– Hon är borta, svarade Mandioca.

– Jag drömde om henne. Vad är det som har hänt?

– Nascimento gjorde *xogo-xogo* med henne. Trots att hon inte ville. Men han fastnade inte.

Nelio märkte att han blev mycket arg.

– Var är Nascimento?

– Han sover i sin låda.

Nelio sparkade på pappkartongen i vilken Nascimento tillbringade sina nätter i ständig kamp med sina monster. Han lyfte på locket och sa åt Nascimento att komma ut. Under tiden hade också de andra börjat vakna. När Nascimento kröp fram ur lådan såg Nelio genast att han var sönderriven i ansiktet. Det gjorde honom så arg att han var mycket nära att alldeles förlora besinningen. Märkena i Nascimentos ansikte var Deolindas försök att försvara sig. Han ryckte tag i Nascimentos skjorta och drog upp honom ur lådan. De andra satt orörliga runt omkring. Så arg som han var nu hade de aldrig sett Nelio tidigare.

– Var är Deolinda? frågade Nelio med darrande röst.

– Jag vet inte, svarade Nascimento. Jag sov.

– Men innan gjorde du *xogo-xogo* med henne! skrek Nelio. Och hon ville inte. Jag var inte här. Men hon kom till mig i drömmen och sa vad som hade hänt.

– Hon ville, sa Nascimento.

– Varför rev hon dig då i ansiktet? Du ljuger, Nascimento.

Nelio släppte honom och började istället att slita filtarna av de andra som hukade inför hans raseri.

– Ingen ska sova mer i natt! skrek han. Ge er iväg och leta reda på henne. Kom inte tillbaka förrän ni har hittat henne. Hon är en av oss. Nascimento har gjort något mycket dåligt mot henne. Var det någon som såg åt vilket håll hon försvann?

Pecado pekade ner mot hamnen.

– Ge er iväg! skrek Nelio. Leta reda på henne. Men inte du, Nascimento. Du stannar här och vaktar de andras filtar. Sätt dig i din låda. Och lämna den inte utan att först fråga mig. Ge er iväg! Kom inte tillbaka utan henne!

De letade hela natten efter Deolinda. De fortsatte att leta efter henne dagen efter. Men hon var borta. De frågade andra pojkar som levde på gatorna om de hade sett henne. Men hon var spårlöst borta.

Efter fyra dagar insåg Nelio att det inte lönade sig längre. Oron i flocken var stor och han bestämde sig för att avbryta sökandet. Nascimento hade under hela denna tid förvarats i sin låda som i ett fängelse på baksidan av bensinstationen. Nelio hade grubblat över hur han skulle straffa honom för hans övergrepp. Men det hade varit förgäves. Han kom inte på hur han skulle göra. Till sist gav han upp. Han samlade dem och sa att de inte längre skulle söka efter Deolinda.

– Hon har gett sig av och hon kommer säkert inte tillbaka. Vi vet inte var hon är. När man inte vet var man ska leta längre måste man sluta. Hon har gett sig av eftersom Nascimento gjorde något emot henne han inte borde ha gjort. Egentligen skulle vi slå honom varje dag i flera veckor och hålla honom instängd i hans låda under ett helt år. Men jag tror att det egentligen inte var Nascimento som gjorde det som innebar att Deolinda gav sig av. Jag tror det var de monster som Nascimento har inne i sitt huvud som gjorde det. Därför ska vi inte slå honom. Han behöver inte heller sitta i sin låda. Men det som hände var inte bra.

Nelio tystnade och såg sig runt. Han undrade om de hade förstått det han hade försökt säga. Den ende som verkade belåten var Nascimento. Nelio tänkte att han nästa gång någon gav sig på Nascimento inte skulle gå emellan. Även om Nascimento hade monster i sitt huvud kunde allt inte skyllas på dem.

I hemlighet fortsatte Nelio att söka efter Deolinda. Han insåg att han saknade henne och att han oroade sig för vad hon kunde ha gjort mot sig själv. Ibland tyckte han att hon fanns alldeles bredvid honom, hon gick vid hans sida och hade sin flätade väska över axeln. Nelio visste att en albino kunde vara levande och död på en och samma gång. Kanske hade hon valt att lämna den här världen och gå vidare till den andra världen, där ingen kunde se henne, men där hon själv kunde se allt hon ville se.

En dag snubblade Nascimento omkull på gatan och slog upp ett stort hål i pannan. Efteråt gick Nelio och synade noga den plats där han hade fallit. Det fanns ingenting där som kunde ha orsakat att Nascimento hade snubblat. Förklaringen måste ha varit att Deolinda hade satt fram sitt osynliga ben.

Hon fanns i deras närhet.

Men hon skulle inte komma tillbaka.

Under den här tiden satt Nelio långa stunder i skuggan av sitt träd och begrundade den smutsiga och sönderrivna karta över världen som Tristeza hade hittat i en soptunna och förärat honom som present. Den indiske fotografen Abu Cassamo som hade sin mörka butik intill teatern och bageriet förklarade vad de olika haven och länderna hette. Han förklarade hur de stora bergskedjorna såg ut, var öknarna bredde ut sig, var den kilometerhöga isen härskade. Abu Cassamo, till vars butik det nästan aldrig kom några kunder, hade ett svårmodigt ansikte och talade aldrig till någon utan att han först blev tilltalad. Han var ytterst hövlig och bugade även för Nelio när han kom till butiken och steg in i dunklet där fotolamporna var släckta, kamerorna övertäckta av svarta tygstycken och lukten av curry mycket stark. Genom Abu Cassamo som talade med låg och nästan sjungande stämma förklarades världen för honom.

Nelio bläddrade bland de smutsiga kartbladen och tänkte att han levde i en ond värld. Varifrån skulle människorna få kraft och glädje nog att stå emot? Han levde i en värld där banditer brände byar, där människor var på ständig flykt, där vägarna var kantade med alla de döda och alla de sönderssprängda, sönderbrända vraken av bilar och bussar och vagnar. Han levde i en värld där de döda inte fick lov att vara döda. De jagades upp ur sina gravar eller ut ur sina träd, de var på flykt på samma sätt som de som fortfarande levde. Och de levande, de var så fattiga att de tvingades sända ut sina barn att leva som råttor på gatorna. Men råttorna hade det bättre, för råttorna hade ändå sin päls när nätterna var kalla.

Nelio såg ibland upp från sina kartor och betraktade människorna som skyndade förbi honom utan att se honom. Var de levande eller var de redan döda? Det hände att han gick ner till hamnpiren och spanade efter de hajar som kunde vara synliga utanför flodmynningen. Var också dyningarna som rullade mot stranden döda? Var fanns livet i denna onda tid? Varifrån skulle de hämta den kraft och den glädje de behövde för att stå emot?

Han lutade sig över sina kartor, låg om nätterna sömnlös i hästens buk, eller stod på eftermiddagarna försjunken i tankar och såg ut över havet. Han hade en känsla av att var han än befann sig så var han i världens och ondskans mitt. Det måste vara så eftersom han tänkte samma tankar var han än befann sig. Hade Deolinda varit kvar så kanske han hade kunnat tala med henne om allt det han grubblade över. De andra skulle inte förstå honom. De skulle bara bli oroliga och genast springa och fånga en ny hund åt honom.

Men i drömmarna återkom hon, och ibland hade hon Cosmos med sig. Nelio frågade henne vart hon hade gått den där natten när hon hade överfallits av Nascimentos monster. Men hennes svar var otydliga och han förstod att hon inte ville att någon skulle leta efter henne.

– Jag behöver inget hus, sa hon till honom i en av drömmarna. Jag har byggt ett gömställe. Där har jag all den frihet jag behöver.

Sådan är världen, tänkte Nelio, när Manuel Oliviera hälsade morgonen och väckte honom, med sitt vansinniga skrattande utanför hästen. *Människor bygger inte längre hus, de bygger gömställen.*

Deolinda var borta. Kraftiga stormar drog in över staden, det regnade oavbrutet i elva dygn, och de illa uppförda husen som klättrade längs branterna ovanför flodmynningen, spolades bort och hajarna slet och drog i de döda människorna ända inne vid stranden. Ingen hade upplevt något liknande, inte ens de människor som var så gamla att det var tveksamt om de egentligen fortfarande levde. Det var en tid som var ett förebud. Banditerna hade nu kommit så nära staden att de ibland bröt sig in och brände och dödade i stadens förorter. Nelio tänkte ibland att om han skulle dö inne i hästens mage, skulle hela hans liv vara obegripligt. Hur skulle han kunna förklara för sina förfäder, när han mötte dem, att han som blivit född av goda människor i en by som inte varit ett gömställe utan människors hem, till slut hade upphört att andas inne i magen på en ryttarstaty som stod bortglömd på ett torg i den stora staden? De skulle tro att han ljög, att han försökte bedra dem, och de skulle jaga bort honom; de skulle jaga honom tillbaka till livet igen, och där skulle banditerna vänta på honom med sina knivar och sina gevär och sin obegripliga lust att döda det som levde och lägga jorden öde.

Ofta betraktade han sina händer, eller speglade sig i den flisa av en spegel som Pecado använde för att göra upp eld med. Han letade efter spår att han redan hade börjat åldras. Han kunde inte förstå annat än att en tioåring som tänkte så många tankar måste bli gammal mycket fort. Han sökte efter rynkorna i ansiktet, de första gråa håren, en plötslig svaghet eller darrning i sina ben. Ofta kunde han drabbas av en stor fruktan över att han en morgon skulle vakna som en vimmelkantig gubbe som saknade tänder och inte ens med yttersta möda kunde minnas sitt eget namn. Hans tankar var som en svår sjukdom han bar inom sig och som kunde slå ut när han minst anade det.

Den tiden var det flocken som höll honom vid liv. I deras dagliga möda att överleva kunde han finna ögonblick där tankarna slutade förfölja honom.

Hela tiden hade han dock en föraning om att någonting höll på att ta slut. Varje morgon vaknade han med en känsla av att något skulle hända som han redan nu borde vara rädd för.

Stormarna drog bort. Regnen upphörde och de dyiga gatorna började torka upp. Det blev åter mycket varmt. Varje dag sökte de på nytt upp de skuggiga platserna och sov siesta.

Det var då Nelio upptäckte att det var något som var fel med Alfredo Bomba. När siestan var över ville han bara fortsätta att sova. Nelio frågade om han inte mådde bra. Han klagade då över att han alltid var så trött, som om sömnen tappade honom på alla krafter.

– Har du ont? frågade Nelio.

– Inte mycket, svarade Alfredo Bomba.

– Var?

Alfredo pekade på ena sidan av magen.

– Magknip, sa Nelio uppmuntrande. Det går över.

Alfredo Bomba nickade.

– Det gör bara lite ont.

Några dagar senare insåg Nelio att Alfredo Bomba inte hade magknip. Han började få feber, ville inte äta och var mycket blek.

– Vi måste skaffa en dragkärra, sa Nelio till de andra. Eller en skottkärra. Alfredo Bomba är sjuk. Vi måste ta honom till sjukhuset.

– Vi kan låna en *xuva shita duma* utanför marknaden, sa Pecado. Men de vill förstås ha betalt.

– De ska få betalt, sa Nelio. Ge mig de pengar ni har.

En hög med skrynkliga tusensedlar samlades framför hans fötter.

– Det måste vara nog, bestämde Nelio. Mandioca och Pecado hämtar kärran. Men stanna inte och prata med alla ni känner.

De drog Alfredo Bomba till sjukhuset i en trasig procession. Många som såg dem trodde att den bleke pojken på kärran redan var död. De böjde knä, gjorde korstecken eller vände sig bort. När de kom fram till sjukhuset bar de in Alfredo på akutmottagningen som var full av sjuka och skadade människor.

– Det är bäst att du stannar där ute och vaktar dragkärran, sa Nelio till Nascimento. Annars är risken stor att någon stjäl den.

– Här luktar illa, sa Nascimento.

– Sjuka människor luktar inte gott, svarade Nelio. Gå nu! Och somna inte!

Alfredo Bomba satt blek och plågad på golvet i ett hörn.

En irriterad sjuksköterska kom fram och frågade vad det var för fel på honom.

– Han är sjuk, sa Nelio. Det är ni som ska tala om vad det är för fel på honom.

Det tog många timmar innan någon nästa gång intresserade sig för Alfredo Bomba. Nelio hade behållit Pecado som hjälp och skickat ut de andra att försöka få tag på mat. Det hade redan blivit kväll när två skötare kom rullande på en bår och lyfte upp Alfredo Bomba.

– Har han ingen anhörig? frågade en av skötarna.

– Han har mig, sa Nelio. Någon mer behövs inte.

– Är du hans bror?

– Jag är hans bror och hans far och hans farbror och hans kusin, svarade Nelio.

– Vad heter han?

– Alfredo Bomba.

– Bomba är väl inget namn?

– Då har han ett namn som inte finns. Men han har ont i magen. Och det är en smärta som finns.

De rullade in båren i ett undersökningsrum som redan var överfullt av gnyende, stönande människor. Lukten av svett och smuts var mycket stark. Nelio viftade bort en kackerlacka som trevade med sina antenner på Alfredo Bombas svettiga ansikte.

En läkare som var stor och tjock kom in i rummet. Han stannade vid båren och såg på Alfredo.

– Har du ont i magen? frågade han bryskt.

– Han är mycket sjuk, svarade Nelio.

Läkaren mumlade något ohörbart och drog sedan upp Alfredo Bombas smutsiga skjorta och började klämma honom på magen. En annan läkare som passerade stannade även han vid båren. De samtalade med varandra utan att

Nelio förstod vad de sa. Den andre läkaren började också klämma på Alfredo Bombas mage.

– Varför klämmer de så hårt? stönade Alfredo Bomba.

– Läkare klämmer för att deras fingrar ska kunna tala med det sjuka som finns därinne.

– Vi skulle ha gått till en *curandeiro*, sa Alfredo Bomba. Det gör så ont.

De två läkarna slutade klämma.

– Han får stanna här, sa den tjocke läkaren. Han lät nu betydligt mindre brysk i sin stämma.

– Vad är det för fel på honom? frågade Nelio.

– Det är det vi ska ta reda på, svarade läkaren.

– Han kanske har magmask, föreslog Nelio.

– Det har han säkert, svarade läkaren. Men det här är något annat.

Den natten sov Alfredo Bomba i en sjuksäng som han delade med en annan patient. Nelio hade skickat iväg de andra med dragkärran och låg själv på golvet under Alfredos säng. Dagen efter tog man blodprov på Alfredo Bomba. Hans armar var så smala att de som skulle sticka honom knappt kunde få in nålarna. Dagen efter togs ytterligare prov.

Sedan hände ingenting. När det hade gått tre dagar började Nelio tro att läkarna hade glömt bort Alfredo Bomba. Men morgonen därpå kom en sjuksköterska och hämtade Nelio. Han följde henne genom korridorer där de nästan inte kunde ta sig fram eftersom det låg sjuka människor överallt på golvet. Hon visade in honom i ett rum där en pappskiva hade spikats för ett trasigt fönster. Bakom ett skrivbord satt den tjocke läkaren som varit den första att klämma på Alfredo Bombas mage.

– Har den här pojken inga föräldrar? frågade han och Nelio märkte att han lät mycket trött.

– Han har bara mig, svarade Nelio. Han bor på gatan.

Läkaren nickade långsamt.

– Då är det dig jag ska tala med, sa han sedan och räckte fram sin hand och sa att han hette Anselmo.

– Alfredo Bomba är mycket sjuk, sa Anselmo. Han kommer att dö mycket snart.

– Det vill jag inte, svarade Nelio. Jag kan skaffa pengar till alla mediciner som är nödvändiga.

– Det handlar inte om pengar eller mediciner, sa Anselmo. Det handlar om att Alfredo Bomba har en obotlig sjukdom. Han har en tumör i levern. Eftersom varken du eller han vet vad en lever är bryr jag mig inte om att försöka förklara. Tumören har redan spritt sig i hans kropp. Vi kan ingenting göra för att rädda hans liv. Vi kan lindra hans plågor. Ingenting annat.

Nelio satt tyst.

Det var som om läkaren Anselmos ord hade fört över en del av den värk Alfredo Bomba hade till hans egen mage. Han kunde inte tänka tanken att Alfredo Bomba skulle dö. Ändå visste han att det var sant.

– Har han verkligen inga föräldrar? frågade Anselmo igen. Har han ingen *tia*, ingen *avô*?

– Han har mig och de andra, sa Nelio. Hur länge måste han stanna här på sjukhuset?

– Han kan stanna här tills han dör. Eller han kan följa med dig nu. Med hjälp av medicinerna kommer smärtorna att försvinna nästan helt.

Nelio reste sig. Han insåg att mannen på andra sidan bordet tyckte sig ha en tioåring framför sig. Men själv kände sig Nelio som hundra.

– Han följer med oss, sa Nelio. Hans sista tid ska bli den bästa han har haft.

De lämnade sjukhuset. Nelio hade fått en pappersstrut med tabletter som han skulle ge Alfredo Bomba när han hade ont. Nelio hade frågat om han ville åka dragkärra tillbaka till gatan, men Alfredo Bomba sa nej. De gick på den skuggiga sidan av gatan, nerför de branta backarna.

– Jag vet att jag ska dö, sa Alfredo Bomba plötsligt.

– Du ska inte dö, svarade Nelio. Jag har medicin i fickan.

– Jag vet ändå att jag ska dö, sa Alfredo Bomba efter en stund.

– Hör du inte vad jag säger? sa Nelio ilsket.

De fortsatte under tystnad.

Senare på dagen, när Alfredo Bomba låg och sov, samlade Nelio de andra runt sig och berättade vad läkaren hade sagt.

– Han ska få önska sig vad han vill, sa Nelio. Vad det än är så ska vi ge honom det.

– Han kan redan nu få mina gymnastikskor, sa Tristeza.

– Alfredo Bomba har aldrig tyckt om att ha skor på fötterna, sa Nelio. Dessutom har han mindre fötter än du. Det är bara han som kan tala om för oss vad det är han önskar sig.

Den kvällen gick Nelio inte till sin staty för att sova i hästens mage. De gjorde upp en eld på baksidan av bensinstationen. Alla hade ansträngt sig till det yttersta för att under dagen arbeta ihop så mycket pengar att de kunde laga en festmåltid över den öppna elden. Alfredo Bomba satt närmast elden, invirad i en filt, eftersom han hade frossa. Nelio hade gett honom en tablett. Smärtorna var borta, men han orkade inte mer än att smaka på den mat de hade lagat till honom.

– Du blir säkert snart bra, sa Nelio. Men fram till dess vill jag att du önskar dig det du helst vill.

Alfredo Bomba tycktes inte förstå vad Nelio hade sagt.

– Vad jag vill? sa han långsamt.

– Vad du vill.

– Jag har aldrig hört talas om en människa som har önskat sig vad som helst, och som sedan har fått det.

– Då får du bli den första, sa Nelio.

Alfredo Bomba satt länge tyst och begrundade det som Nelio hade sagt. Nascimento och Mandioca försvann då och då för att leta reda på mera ved och hålla elden vid liv. Staden tystnade allt mer, stillheten sänkte sig över flocken kring elden.

Sedan talade Alfredo Bomba.

– Jag minns att min mamma berättade något mycket egendomligt för mig när jag var liten. Hon sa att det var sant, men jag har alltid tänkt att det var en saga, en sådan man berättar för barn. Men jag har aldrig glömt det hon sa. Kanske jag nu borde försöka ta reda på om det var sant eller inte.

– En mor ljuger inte för sina barn, sa Mandioca.

– Tyst, sa Nelio. Avbryt inte. Låt honom tala ifred.

– Det skulle finnas en plats där de levande och döda möttes, sa Alfredo Bomba. Det skulle vara som i en stor trädgård, där det rann en flod. Mitt i floden låg en ö av bara sand. Hade man en gång besökt den ön skulle man efteråt aldrig behöva vara rädd för någonting mer i sitt liv. Om det nu är så att jag kan önska mig vad som helst, så önskar jag mig att komma dit.

– Ja, sa Nelio, när Alfredo Bomba hade tystnat. Jag har hört om den där floden och en avlång ö av sand. Jag har också hört att där ska finnas en sorts sjungande ödlor. Men det kan hända att jag tar miste. Jag tror du har rätt i att du bör besöka den platsen.

– Jag vet inte var den ligger, sa Alfredo Bomba. Hur ska man kunna färdas utan att veta vart man ska?

– Det ska vi ta reda på, sa Nelio. Jag har en karta över världen. Den som Tristeza hittade i soptunnan. Jag ska tala med Abu Cassamo, fotografen, tidigt i morgon. Han kanske vet.

– Tror du verkligen det är möjligt? sa Alfredo Bomba.

– Ja, sa Nelio. Jag tror det är möjligt.

Alfredo Bomba kröp ihop under sin filt intill elden och somnade.

– Vi ska alltså göra en resa, sa Nelio efteråt. Vi kommer att behöva mycket pengar och vi måste ta reda på var den där platsen ligger. Vi har heller inte mycket tid på oss om inte Alfredo Bomba ska bli för sjuk för att kunna göra sin resa.

– Det finns ingen flod och det finns ingen ö, sa Nascimento. Jag vill inte vara med på att lura honom. Det är bättre att vi låter honom gå på bio varje kväll. Jag tror aldrig Alfredo Bomba har varit på bio.

– Han har aldrig blivit insläppt, sa Mandioca. Han har inga skor. Man måste ha skor och biljett för att gå på bio. Har man bara biljett får man inte komma in.

– Ibland pratar ni alldeles för mycket, sa Nelio och dolde inte att han var irriterad. Vi ska hitta den där platsen och vi ska skaffa mycket pengar så vi kan resa dit. Det är bäst att vi sover nu. I morgon kommer vi att ha mycket att göra. För att visa att jag menar allvar kommer också jag att sova här i natt.

– Det är inte bra om du också blir sjuk, sa Tristeza bekymrat.

– Alfredo Bomba är sjukare än jag, svarade Nelio. Det är det enda som betyder någonting.

De gjorde sig i ordning inför natten. Nascimento kröp ner i sin papplåda och drog igen locket. Nelio rullade ihop sig intill Alfredo Bomba. Han tänkte att det var ett mycket stort ansvar han hade påtagit sig. Alfredo Bomba räknade med att han skulle få det han hade önskat sig. Ingen hade rätt att göra en döende människa besviken.

Den natten sov Nelio dåligt och jagades av oroliga drömmar. Drömmarna som plågade honom hade alla haft ansikten och hade påmint honom om de unga banditerna som klamrat sig fast vid de blodiga geväven. De hade tagit ifrån honom hans byxor och hans förmåga att både tänka och känna. Han hade befunnit sig intill en flod och upptäckt sitt ansikte i vattenytan. Det hade varit en vålnad han sett, en gammal man med insjunkna ögon och smutsig skäggstubb. På andra sidan floden hade Yabu Bata ropat något till honom, men han hade inte uppfattat vad han hade sagt. Han hade vaknat innan det börjat ljusna. Alfredo Bomba sov intill honom, på rygg med öppen mun, som ett mycket litet barn. Nelio hade tänkt att det var klokt att han började denna viktiga dag med att försöka förstå de drömmar han haft under natten. Av sin far hade han lärt sig att drömmar alltid innebar förebud. De kunde vara gåtfulla men det var människans uppgift att tolka förebuden och sedan följa dem.

– En människa sover för att drömma, hade hans far sagt. Att vi sedan är vakna beror på att vi måste ha möjlighet att tolka våra drömmar.

Nelio tänkte att det gått lättare om han hade legat inne i hästens mage. Där var han van att tyda sina drömmar. Han behövde vara ensam när han skulle lyssna på nattens röster som talat till honom. Här, omgiven av den sovande flocken, fick han ingen ro.

När det första morgonljuset skymtade mot himlen reste han sig försiktigt för att inte väcka de andra och gick över den tomma gatan till Abu Cassamos butik. Han lyssnade mot dörren och kunde höra ljud av hasande steg därinifrån. Han knackade försiktigt och väntade. Abu Cassamo gläntade försiktigt på dörren efter att ha låst upp alla lås och säkerhetskedjor som var hans försäkran mot den omvärld han misstrodde. Hans ständigt lika svårmodiga ögon betraktade Nelio som stod där utanför.

– Jag kommer ännu en gång med mina kartor, sa Nelio. Dessutom har jag en fråga att ställa till dig.

Abu Cassamo släppte in honom i den dunkla ateljén. Sedan satte han sig på huk vid det spritkök där han just höll på att laga kaffe enligt en invecklad ritual. Nelio satte sig på en pall och väntade. På väggarna hängde trasiga turistaffischer i bjärta och orimliga färger som Nelio antog var motiv från det indiska fastland Abu Cassamo aldrig skulle komma att besöka.

När Abu Cassamo hade tömt den lilla kaffekoppen strök han sig om munnen och satte sig på en pall mitt emot Nelio som redan hade sin trasiga karta i händerna. Han förklarade för Abu Cassamo varför han hade kommit. Men han talade om Alfredo Bombas önskan som om den hade varit hans egen.

– En gång avlade jag ett löfte till min far om att besöka den här ön, sa Nelio. I natt drömde jag att tiden för att göra denna resa nu är inne. Min far kommer att bli mycket förtretad om jag inte gör som vi har bestämt.

– Jag antar att din far är död, sa Abu Cassamo tankfullt.

– Han kunde bli arg även medan han levde, svarade Nelio. Jag tror inte det har minskat sedan han drunknade i ett vattenfyllt dike en gång då han var omtöcknad av malaria.

Abu Cassamo tog kartbladen och tände den sista av de starka fotolamporna som fortfarande fungerade. Nelio väntade och märkte att han långsamt drogs bakåt i tiden, till långt innan banditerna hade kommit och bränt hans by. Först när Abu Cassamo många timmar senare vände det sista kartbladet återvände han till verkligheten igen.

– Jag kan inte hjälpa dig, sa Abu Cassamo. Den ö där din far väntar på dig finns inte utsatt. Det är en mycket dålig karta.

– Jag hittade den i en soptunna, sa Nelio. Jag förstår nu varför någon hade kastat bort den.

– Världen kan bara avbildas på dåliga kartor, sa Abu Cassamo. Hur skulle man kunna framställa en fulländad karta över någonting som är så vanvårdat som vår värld?

De satt tysta.

– Hur hittar man en ö som inte står utsatt på en karta? frågade Nelio till sist.

– Man hittar den inte, svarade Abu Cassamo. Jag tror det bästa du kan göra är att dricka *uputso* och dansa och tala med din far. Ibland kan även de döda visa oss vägar vi inte visste att vi kände till.

Nelio kunde inte undgå att lägga märke till den svaga undertonen av förakt i Abu Cassamos röst. Han visste att indierna påminde om de vita på så sätt att de aldrig hade förstått varför svarta människor ofta dansade och samtalade med sina förfäder. På samma sätt som de vita var indierna rädda, och de dolde sin rädsla genom att visa sitt förakt, dock med betydligt större diskretion än de vita, eftersom de var handelsmän och inte ville göra sig till ovän med någon som kanske en dag kunde bli en oväntad kund.

– Jag ska följa ditt råd, sa Nelio. Men jag har också en fråga. Vem kan ge mig alla de pengar jag behöver för att göra den långa resan och dessutom köpa en ny kostym åt min far?

– Jag visste inte att andarna hade kostym, sa Abu Cassamo.

– Min far har påstått att det är så. När jag drömmer om honom har han alltid samma kostym, som har blivit alltmer nött och sliten.

– Jag vet bara en person som kanske kan ge dig pengarna, sa Abu Cassamo. Han heter Suleman och är lika rik som den store Kahn, fast ingen låtsas om det, eftersom Suleman inte ger pengar till uppförande av nya moskéer.

– Varför skulle han ge mig pengar?

– Han är indier som jag, sa Abu Cassamo. Men hans själ har farit illa av att leva så länge bland svarta människor, som du. Han är numera så rädd för onda andar och förebud att han inte ens vågar göra affärer längre. Han har stängt in sig i sitt hus och går aldrig ut. Om du hälsar från mig kan det hända att han släpper in dig.

– Hur känner du honom? frågade Nelio.

– Han var min sista kund, svarade Abu Cassamo sorgset. På det sista fotografi jag hittills har tagit kan man se hur rädslan lyser i hans ögon.

– Han kanske borde följa med mig till ön, sa Nelio. Var bor den man som heter Suleman?

– Det ligger ett hus bredvid det gamla fängelset som ser ut att ha blivit halshugget, sa Abu Cassamo. Suleman rev en gång övervåningen med sina egna händer när han hade blivit lurad i en stor affär. Han straffade sig själv för att han varit så godtrogen. Det hände för många år sedan, när han fortfarande inte trodde att de onda andarna och förebuden kunde skada honom.

Nelio reste sig för att gå. Det var redan sent på eftermiddagen. Han kände sig mycket hungrig.

– Äter du aldrig? frågade han.

– Bara när jag är hungrig, svarade Abu Cassamo. I dag är ingen sådan dag.

– Jag ska låta dig fotografera mig, sa Nelio, när jag väl har kommit tillbaka från min resa. Du ska också fotografera de andra som jag lever med här på gatan. Du ska få framkalla bilderna, vi ska välja ut de bästa och vi ska rama in dem. Sedan ska vi betala dig för ditt arbete.

– På vilken vägg ska ni hänga fotografierna? frågade Abu Cassamo när han redan hade släppt ut Nelio på gatan.

– På baksidan av bensinstationen, sa nelio. Där finns en mur som är mycket vacker. När det regnar ska vi naturligtvis täcka över dem med säckar.

Dagen efter gick Nelio genom staden till Sulemans halshuggna hus. Han öppnade grinden och steg in i en trädgård som såg ut som en övervuxen kyrkogård. Bland de torra grässtråna låg rostiga hundkoppel som minnen av våldsamma hundskall. Nelio knackade på porten. Plötsligt öppnades en mycket liten lucka strax ovanför tröskeln. Ett tjockt brunt finger stack ut och pekade åt Nelio att han skulle lägga sig ner så att hans ansikte kom i jämnhöjd med luckan. Fingret försvann, Nelio la sig raklång och stirrade rakt in i ett öga.

– Jag har kommit för att tala med Suleman om en ö där rädslan upphör, sa Nelio. Det var Abu Cassamo som sände mig hit.

Ögat försvann och porten öppnades på glänt. Nelio tänkte hastigt att alla indier bara öppnar sina dörrar till hälften, kanske av rädsla, men också av sparsamhet. Nelio steg in i det halshuggna huset där gardinerna var fördragna. Det luktade av något okänt och var mycket mörkt. När hans ögon hade vant sig vid mörkret såg han att huset fullständigt saknade möbler. Det enda som fanns där var pengar. Överallt låg buntar och staplar av sedelbuntar, alla omknutna med snören. Det var alla dessa pengar som avgav den lukt Nelio först inte hade känt igen. Mitt bland alla dessa pengar, som om han var omgiven av skyddsmurar av sedelbuntar, stod Suleman. Han var liten och mycket tjock. Hans hår hade fallit av hans huvud, skägget var glest och han hade ett par glasögon vars ena båge var lagad med smutsig tejp. Nelio framförde sitt ärende för Suleman som lyssnade på hans ord med slutna ögon. När han hade tystnat slog Suleman ut med armarna i en gest av trött uppgivenhet.

– Jag har inga pengar att avvara, sa han. Det lilla som jag har kvar, som du kan se här, är redan intecknat. Jag kan heller inte följa med dig på din resa. Utanför de här dörrarna väntar alla som vill mig ont. Om nätterna hör jag hur de klöser och raspar i husets väggar. Mina vakthundar har de lurat bort från mig med giftiga köttstycken.

– Vi kunde ge oss av när det är mörkt, föreslog Nelio.

– Ännu värre, sa Suleman. Det hade kanske kunnat gå om dagen i det skarpa solljuset. men jag vågar inte. Jag är dessutom för tjock och ser för dåligt. Jag måste stanna och vakta de pengar som finns kvar. En gång var jag en förmögen man, lika rik som Kahn. Nu har förmögenheten gjort mig fattig genom att minska på ett sätt som jag inte helt kan förstå. Allt är redan intecknat.

– Jag tror det skulle kunna räcka med en av de små buntarna, sa Nelio försiktigt och sänkte sin stämma så att hans önskan skulle verka mindre eftersom den framfördes lågmält.

– Jag har inga pengar att ge bort, sa Suleman, och Nelio märkte att han höll på att bli irriterad. Alla vill ha pengar. Jag kan inte lämna det här huset utan att omges av alla som tigger. Det är lättare att räkna dem som inget vill ha. Tiggarna tigger till och med av varandra. De döda i jorden ropar på pengar. Jag har gett bort allt jag en gång hade. Det som finns här ska betala mina skulder när jag en gång är död. Pengarna i hörnet vid fönstret ska betala min begravning, pengarna på andra sidan dörren ska betala mina kusiners äktenskap och mina trolösa söners oäkta barn som ingen annan än jag vill kännas vid. Jag har allmosor förberedda, bötessummor, mutor, och allt är intecknat. Det finns inga pengar till en kostym åt din far och en resa till den ö du talar om. Även om den inte finns, även om du till och med är en bedragare, som jag väljer att låta mig luras av, så har jag inga pengar att ge dig.

– En liten pojke ska snart dö, sa Nelio. Hans själ kunde sedan skydda dig.

– Mitt hus är fullt av döda själar som alla som bett mig om pengar har gett mig som säkerheter jag kunnat lösa in när de dött. Men vad har jag haft för glädje av det?

Nelio lämnade Sulemans hus. Han insåg att de vägar han gått under de senaste dagarna inte fört honom närmare målet.

Den kvällen samlade Nelio flocken runt sig. Han väntade tills Alfredo Bomba hade somnat innan han började tala.

– Abu Cassamo har inte kunnat hitta den plats Alfredo Bombas mor talade om. Eftersom Abu Cassamo aldrig har kunder som vill bli fotograferade har han kunnat ägna all sin tid åt att studera kartorna. Därför är det inte heller lönt att fråga någon annan. Vi har heller inte tid att leta reda på Alfredo Bombas mor. Det är inte ens säkert att hon lever längre. Vi har heller inte lyckats få tag på pengar.

Han såg sig runt. Alla såg bort eftersom de inte hade någonting att säga.

Till sist var det Tristeza som bröt tystnaden.

– Det är kanske trots allt bättre att han får mina gymnastikskor. Nu när han är sjuk kanske hans fötter har blivit större.

– Varför skulle de ha blivit det? frågade Nelio.

– Sjuka människor svullnar, mumlade Tristeza. Blodet gömmer sig för döden längst ner i fötterna.

Nelio funderade en stund över Tristezas egendomliga uttalande. Han hade lärt sig att Tristeza, trots att han tänkte mycket långsamt, ibland kunde säga saker som var värda att noga begrunda.

– Alfredo Bomba vill inte ha några gymnasikskor, sa han sedan. Han vill besöka den ö där rädslan lämnar en människa. Vårt första problem är att vi inte hittar dit. Vårt andra problem är att även om vi hittade dit så har vi inga pengar att resa för.

– Det finns ingen ö, sa Nascimento.

– Kanske inte, svarade Nelio tankfullt. Men det är ett mindre problem.

Han märkte att de förundrade såg på honom. Vad hade han menat? Nelio lyfte avvärjande handen. Just nu ville han inte ha fler frågor. Någonstans i hans huvud hade en plan börjat födas. Han hade upptäckt en okänd stig i sitt huvud, som han nu började följa, och den skulle också ge honom svaret på hur de skulle kunna villfara Alfredo Bombas önskan. Han reste sig och gick förbi bensinstationen, ut på gatan och ställde sig att se över till andra sidan, där Abu Cassamos fotoaffär låg, intill bageriet och teaterbyggnaden. En av Dona Esmeraldas teaterföreställningar hade just slutat. Åskådarna strömmade ut och försvann åt olika håll i mörkret. Vakterna började låsa dörrar, lamporna utanför entrén släcktes, en efter en. Allt detta stod han och såg, samtidigt som han följde en vindlande stig mellan täta törnesnår i sitt huvud. Han såg med blicken vänd inåt och han visste nu hur de skulle göra resan till den ö som låg i en okänd del av världen, eller kanske i en värld som egentligen inte fanns.

Han gick tillbaka till flocken som väntade. Alfredo Bomba sov.

– Jag har hittat ön, sa han. Den står inte utsatt på de kartor Abu Cassamo förgäves försökte tyda. Den ligger dessutom så nära att vi inte behöver några pengar för att göra vår resa.

– Var? frågade Nascimento.

– Tvärs över gatan, sa Nelio. Den ligger där Dona Esmeralda har sin teater. På natten står teatern tom. Scenen är övergiven eftersom skådespelarna sover. Det som inte finns måste man själv tillverka. Även en ö som ingen vet var den ligger kan tillverkas. Även en dröm kan man plocka ut ur sitt huvud och forma till ett föremål. I natt när vakterna utanför teatern har somnat ska vi klättra in genom ett av de trasiga fönstren på baksidan, där Dona Esmeralda har sitt kostymförråd. Sedan ska vi tända ljuset på scenen och vi ska börja repetera en pjäs som handlar om Alfredo Bombas besök på den ö hans mor berättade för honom om.

– Ingen av oss vet hur man gör, sa Mandioca.

– Då får vi lära oss, svarade Nelio.

– Några av vakterna utanför teatern har vapen, sa Nascimento.

– Vi ska vara tysta, sa Nelio.

Samma natt, strax efter midnatt, när vakterna hade somnat utanför teaterns ingång, smög de sig runt till baksidan och klättrade in genom det trasiga fönstret till kostymförrådet. De hade avdelat Tristeza att stanna hos Alfredo Bomba, eftersom han ändå aldrig skulle kunna lära sig att säga repliker eller röra sig på ett visst sätt på scenen. De lyste sig fram med tändstickor och slog på de starka strålkastarna som hängde ovanför scenen.

Scenen hade varit alldeles tom.

De hade stått nere i salongen. Nelio hade då tänkt att scenen liknade en mun, en öppen mun, som väntade på den föda de kunde ge den.

Sedan hade de börjat tillverka ön.

Nelio log sitt trötta leende i gryningsljuset. På avstånd, på andra sidan floden, tornade ett åskväder upp sig. Jag insåg att vi nu hade närmat oss slutet, både på hans berättelse och hans liv.

Jag sa ingenting. Jag såg bara på honom och log. Vad fanns egentligen att säga?

Sedan reste jag mig och gick nerför trappan till bageriet.

Den sista natten

Den sista dagen Nelio levde var solen mycket nära min ande. När jag tömde mina lungor flammade luften upp och föll som svartbränd aska mot gatans stenar. Jag har aldrig, varken förr eller senare, upplevt en hetta som den dagen. Ingenstans fanns svalka, även vinden som sökte sig in mot staden från havet tycktes flämta av utmattning. Jag vandrade oroligt omkring längs gatorna, trängde mig in i de torra skuggorna där människor förgäves sökte lindring, och slogs mot en tilltagande yrsel som hela tiden ville kasta mig till marken. Det var som om jag inte längre visste var jag var, som om allt som hände mig var ett misstag ingen egentligen var ansvarig för eller ens brydde sig om. Jag såg för första gången världen som den var, den värld som Nelio genomskådat innan han ens blivit vuxen.

Vad var det jag tyckte mig se? Den rostiga motorn i en utbränd traktor talade till mig, som ett hånfullt poem, om en värld som höll på att brytas sönder framför mina ögon. Jag såg en pojke, ett gatubarn, som ursinnigt piskade sanden, som om han straffade jorden för sitt eget elände. En ensam gam seglade ljudlöst ovanför mitt huvud. Den flöt på de virvlande uppvindarna, okänslig för solstrålarna som genomborrade dess fjäderskrud. Fågelns skugga föll ibland över mitt huvud som ett järnlod som pressade mig mot marken. Jag såg en gammal svart man stå naken intill en vattenpump och tvätta sig. Trots värmen gnuggade han sin kropp med våldsam energi, som om han rev av sig ett gammalt uttjänt skinn. Under den obarmhärtiga solen upptäckte jag den dagen stadens verkliga ansikte. Jag såg hur de fattiga tvingades äta sina liv råa. Där fanns aldrig någon tid för dem att bereda sina liv, de som ständigt tvingades slåss på överlevnadens yttersta skans. Jag såg detta orimlighetens tempel som var staden och kanske också världen, och den liknade det jag såg runt mig. Jag stod mitt inne i vanmaktens mörka katedral. Murarna föll långsamt mot marken och rev upp tunga lager av damm, de färgade glasfönstren hade för länge sedan försvunnit. Jag såg mig runt och alla som fanns där var fattiga. De andra, de rika, höll sig borta från gatorna, gömde sig i sina muromgärdade bunkrar, där luften alltid hölls sval av vinande maskiner. Världen var inte längre rund, den hade återgått till att vara platt, och staden låg vid den yttersta änden. Om de häftiga regnen åter en dag slet loss husen från branterna skulle de inte bara störta ner i floden utan även kastas över den yttersta kanten där ingen botten väntade.

Staden tycktes denna dag ha råkat ut för en plötslig invasion, inte av gräshoppor men väl av väckelsepredikanter. Överallt, uppklättrade på murar, lådor, lastpallar och soptunnor, lockade de människor till sig och med sina gråtande och klagande stämmor, sina svettiga ansikten och sina bönfallande händer. Människor samlades runt dem, vaggade med kropparna, slöt ögonen och tänkte att allt skulle vara annorlunda när de åter öppnade dem. Jag såg människor falla till marken i kramp, andra som kröp undan som slagna hundar, några som jublade utan att vi andra förstod varför. Jag som alltid hade föreställt mig att undergången skulle utspelas mot en fond av regn, jagande svarta moln, skakningar i jorden och tusenfaldiga blixtar, började tro att jag hade tagit fel. Världen skulle gå under i den brännande solen. Jag tänkte att alla våra förfäder hade samlats, de måste ha varit miljoner, och de hade fått nog av all den plåga de levande vållade varandra. I den gemensamma undergången skulle vi förenas i den andra världen. De gator jag nu gick omkring på skulle till slut bara vara ett minne för dem som aldrig helt lyckats lära sig att glömma.

Jag passerade ett hus där en vansinnig man plötsligt började kasta ut sina möbler genom fönstren. Hela tiden ropade han på sin bror Fernando som han inte hade sett sedan början av det krig banditerna hade fört till vårt land. Jag såg honom just i det ögonblick han kastade ut sin säng. Den slog mot trottoaren, madrassen revs upp, träplankorna splittrades. Varför skrek jag inte åt honom att sluta? Varför gick jag bara vidare?

Jag vet fortfarande inte. Den sista dagen Nelio levde är som en lång och utdragen föreställning om en dröm jag bara delvis kan minnas. Någonting höll på att ta slut i mitt liv. Jag hade plötsligt börjat förstå den verkliga innebörden av det som Nelio hade berättat för mig. Kanske var jag också rädd för det oundvikliga? Att hans berättelse skulle ta slut, att allt skulle uppenbaras, och han själv dö av de fruktansvärda såren i sin bröstkorg? Jag tänkte att döden för dessa fattiga, för människor som Nelio och jag själv, är det enda livet ger oss gratis.

Jag tänkte att vi tvingades äta livet rått. Sedan väntade döden.

Vi hade aldrig möjlighet att tillreda glädjen, bona våra minnen tills de blänkte, undgå att frukta morgondagen.

Först när det redan hade börjat skymma återvände jag till bageriet. Dona Esmeralda stod utanför butiken och grälade upprört med en man som levererat mjöl. Det var ett gräl som redan pågått i tusen år och skulle upprepas i tusen år till. Jag väntade tills mannen slokörad hade gett sig av och Dona Esmeralda försvunnit in på teatern för att tvinga skådespelarna att sätta på sig snablarna och repetera, trots den outhärdliga värmen. Just när jag steg in genom bageriets port påminde jag mig att jag hade glömt att köpa örter av fru Muwulene. Men jag brydde mig inte om det. Jag visste att det nu ändå var för sent.

Jag bakade mitt bröd och såg frånvarande på Marias vackra kropp som skymtade genom hennes tunna klänning. Kvällen hade fört in svalka från havet. Runt mig sov staden för att stå ut med en morgondag då solen skulle vara lika obarmhärtig.

Jag tänkte på pojken som ursinnigt hade piskat jorden. Jag undrade om han fortfarande stod och slog mot sitt eget elände, eller om han hade någonstans att sova.

Strax efter midnatt gick Maria hem. I smyg hade jag ställt mig i mörkret och sett henne tvätta sig under samma vattenkran jag själv brukade använda. Hennes nakna kropp hade glimtat till i ljuset från nyfikna stjärnor, och jag kände en plötslig upprördhet över att jag kunde motstå att gå fram till henne och dra henne intill mig. Hennes skönhet var som allt som är vackert, hemlighetsfull. Jag önskade att Nelio hade stått bredvid mig och sett henne, delat Marias hemlighet. Det var ett minne jag hade velat att han hade haft med sig till den andra världen. Utan att jag kan svara på varför föreställer jag mig att andar aldrig är nakna. Men jag kanske tar fel. Jag vet inte.

När jag kom upp till taket såg jag att katten hade återvänt. Den hade krupit upp och lagt sig intill Nelios ansikte. Jag stannade i skuggan av vindeltrappans dörr och betraktade det som verkade vara ett samtal mellan katten och Nelio. En kall fläkt drog hastigt förbi mitt ansikte och gjorde att jag rös. De döda hade börjat samlas i väntan på att Nelio skulle följa dem. Vem katten var kunde jag inte svara på. Men den måste ha känt min närvaro eftersom den plötsligt vred på huvudet och såg på mig med sina kalla ögon. När den blinkade tänkte jag att det var mannen med de hopknipna ögonen, den man som Nelio hade dödat, som nu hade återfunnit honom. Jag tog upp en liten sten som låg på taket och kastade den mot sidan av madrassen. Katten hoppade undan och försvann över takåsarna. När jag kom fram till madrassen såg jag att Nelio var mycket blek. Jag kände på hans panna, han hade feber, och ögonen var glansiga med det frånvarande uttryck jag tidigare hade sett hos honom. Ändå log han emot mig.

– Dagen har varit mycket varm, sa han med låg och bräcklig stämma.

Jag gav honom vatten att dricka. I hans kopp blandade jag ut det sista som fanns kvar av fru Muwulenes örter.

Åter hördes kvinnan som om natten förberedde morgondagen.

Hennes stock stötte mot majsen. Och hon sjöng.

– Allt tar slut, sa Nelio. Allt tar slut, och allt börjar om igen.

Han lyfte sin ena hand som var mycket mager och pekade upp mot stjärnorna, som den natten var mycket klara och nära. Himlen hade sänkt sig mot taket för att göra Nelios vilorum mindre.

– Min far var en mycket klok man, sa Nelio. Han lärde

mig att se mot stjärnorna när livet var svårt. När jag sedan återvände blicken mot jorden hade det som nyss varit övermäktigt blivit litet och enkelt.

Jag gav honom ytterligare vatten att dricka. Efteråt kände jag på hans puls som var snabb och oregelbunden. Den utmätta tiden närmade sig sitt slut.

Nelio såg på mig under tystnad. Hans berättelse hade redan börjat, trots att den ännu bara var som blänk i hans trötta ögon. Men fortfarande tycktes han inte alls frukta det som väntade. Han var alldeles lugn.

Kan man älska döden?

Jag fick aldrig något svar av Nelio så länge han levde. Men jag väntar fortfarande att en ensam nattfjäril ska slå sig ner intill mig och ge mig det budskap från Nelio jag väntar på. Det är därför jag ibland i min ensamhet dansar på taket och dricker mig berusad på *tontonto*.

Jag väntar och kommer alltid att vänta.

Sedan började Nelio för sista gången sin berättelse, och jag visste att den nu, denna natt, skulle nå sitt slut. Han berättade om hur de gått upp på den tomma scenen i ljuset av strålkastarna. Skuggorna i kulisserna hade mumlande kommenterat deras närvaro. Scenen andades, allt som under årens lopp hade utspelats där tycktes ha vaknat till liv igen. De befann sig mitt i ett kaotiskt universum av skådespel, repliker, entréer och sortier. Det hade varit ett magiskt ögonblick. Nelio hade samlat flocken runt sig, exakt på mittpunkten av scenen. Han hade märkt att de var rädda, att de kände närvaron av alla de händelser som hade utspelats där tidigare och som nu hade återuppstått. Nelio hade tänkt att de inte bara hade kommit som en grupp gatubarn som skulle uppföra ett skådespel för den döende Alfredo

Bomba. De hade också kommit som en publik, och de hade väckt de gamla skådespelen till liv genom att störa dem mitt i deras långa natt.

De hade börjat med att gå igenom teatern för att undersöka vilka föremål, kasserade sättstycken till gamla dekorer, kostymer och peruker, de skulle kunna använda. Nelio gav stränga besked om att ingenting fick röras utan hans tillstånd, och att allt de använde måste återställas på samma plats som innan. Denna, den första natten, blev till en lång lek, där Nelio, från den plats han hade intagit på mitten av scengolvet, såg de andra dyka fram ur kulisserna, utklädda till oigenkännlighet. Då och då hade han varit tvungen att tysta ner dem när de glömde att de vistades på teatern olovligt. Han påminde sig hur Nascimento hade varnat för de beväpnade vakter som fanns där utanför på gatan.

Han såg dem klä ut sig med barnslig och hämningslös förtjusning. Varje gång någon av dem kom in på scenen i en ny kostym uppstod en omedelbar förändring av hela scenen. Ett drama uppstod, utan repliker, utan handling, utan annan mening än att de alla fick lov att skapa en annan värld än den de vanligtvis levde i. Pecado kom in i ljuset, klädd i en glänsande frack av rött siden. På fötterna hade han vita skor och han rörde sig över scenen som om han redan hade varit i stånd att besegra tyngdkraften medan han väntade ute i kulisserna. Strax efter dök Nascimento upp i strålkastarljuset, förvandlad till en gud, eller kanske en hittills okänd blomma. Han började rabbla en osammanhängande text medan han värdigt rörde sig i en cirkel kring Nelio. Mandioca klädde sig i olika djurskepnader och skapade också djur som ingen tidigare hade sett. Med en krokodils bakdel, en råttas ben, bröstkorgen från en insekt och zebrans huvud kröp han över scengolvet och utstötte ljud som Nelio tidigare heller inte hade hört.

Medan han betraktade denna växlande, drömlika parad, med ständigt oväntade inslag och entréer, började skådespelet ta form i hans huvud. Han tänkte sig resan, ögonblicket då de stod intill floden och anade ön i diset, överfarten och till slut ankomsten. Han insåg att det inte var något mindre än ett paradis de måste försöka framställa. Eftersom paradiset inte fanns måste han föreställa sig hur det såg ut i Alfredo Bombas värld. Han måste skapa ett paradis som Alfredo Bomba kunde känna sig hemma i. Under denna första natt sa han inte många ord. Han betraktade tankfullt, nästan drömmande, de olika kostymer och föremål som bars in och ut från scenen. I sitt minne noterade han vad han hade sett. När han anade att gryningen var nära samlade han dem runt sig och sa att de nu måste återställa allt som det varit, utplåna alla spår efter sig, och sedan lämna teatern lika omärkligt som de hade kommit

– I morgon ska vi börja repetera, slutade han. I tre nätter ska vi förbereda oss. Den fjärde natten ska vi göra vår resa tillsammans med Alfredo Bomba.

När de kom ut i gryningsljuset och återvände till platsen där Tristeza väntade med Alfredo Bomba, kunde Nelio genast se att han blev allt sjukare. För ett ögonblick var han orolig att Alfredo Bomba inte skulle leva tillräckligt länge för att de skulle hinna visa honom sin föreställning. Han sa åt de andra att vara tysta och inte föra oväsen som störde den sjuke. Sedan satte han sig vid Alfredo Bombas sida och talade länge med honom.

– Vi ska göra resan, sa Nelio. Vi kommer att bära dig hela vägen. Resan kommer inte att vara lång.

– Jag är rädd, mumlade Alfredo Bomba.

– Du behöver inte vara rädd, svarade Nelio uppmuntrande.

– Jag är rädd för att Nascimento ska bära mig, sa Alfredo Bomba. Han kommer att tappa mig. Eller släppa mig med flit.

– Jag ska hota honom med att vi slår honom med käppar om han tappar dig, sa Nelio. Nascimento tycker inte om att få stryk med käppar.

Alfredo Bomba verkade inte bli helt övertygad av Nelios ord. Men han var för trött för att orka göra några invändningar. Nelio gav honom ytterligare en av de tabletter han hade i pappersstruten och ropade sedan till sig Pecado och bad honom massera Alfredo Bombas fötter.

– Vad ska det vara bra för, frågade Pecado misstänksamt. Han fryser inte.

– Blodet ska inte gömma sig i hans fötter, svarade Nelio bestämt. Gör som jag har sagt.

Mandioca gnuggade Alfredo Bombas fötter, medan Nelio övervakade att de andra turades om att torka hans svettiga panna och se till att han alltid hade kallt vatten att dricka. De som inte behövdes för att sköta Alfredo Bomba skickade han ut på gatan för att tvätta bilar och köpa is och bröd för de pengar de tjänade. Hettan var ihållande och någon fanns alltid vid Alfredo Bombas huvud och fläktade med en bit av ett trasigt paraply. Strax efter midnatt, när vakterna hade satt sig på trappan till teatern och börjat spela kort, kröp de åter in genom det trasiga fönstret på baksidan av byggnaden.

Den natten började de repetera sitt skådespel. Nelio samlade dem runt sig på scenen.

– Ingen av oss vet någonting om teater, sa Nelio. Ändå måste vi klara det utan hjälp. Men det är också det vi kan bättre än någon annan. Att överleva utan att någon hjälper oss.

– Jag vill spela monster, sa Nascimento.

– Du ska få spela monster, sa Nelio. Men bara om du inte avbryter mig innan jag har talat färdigt. Det viktigaste är att vi får Alfredo Bomba att glömma att han är sjuk, och var han är någonstans. Då kan vi ta honom med vart vi vill. Dessutom ska vi vänta tills han har somnat. Först då bär vi in honom hit. När han slår upp ögonen kommer han att tro att han drömmer.

– Det blir svårt att få in honom sovande genom den trasiga fönsterrutan, sa Pecado bekymrat.

– Det finns en dörr på baksidan, sa Nelio. Natten innan vi ska uppföra vårt skådespel sätter vi upp låset.

Sedan började de repetera resan till den ö som Alfredo Bombas mor en gång hade berättat för honom om. De försökte skapa en dröm som hade samma kraft som verkligheten. Nelio kände sig hela tiden osäker. Han tyckte det var som om han trevade sig fram i ett mörkt rum. Ofta tvingades han att bli arg eftersom de andra inte gjorde som han sa eller förde alltför mycket oväsen. Det visade sig mycket snart att Nascimento och Mandioca var i det närmaste odugliga för honom att använda sig av som skådespelare. Nascimento hade hittat ett monsterhuvud som han vägrade att ta av sig, trots att han aldrig lyckades lära sig att hålla reda på när han skulle vara inne på scenen, vad han skulle göra eller vad han skulle säga. Till sist tappade Nelio tålamodet och sa åt honom att svepa ett blått tygstycke runt sig och föreställa havet.

– Vad ska jag säga? frågade Nascimento.

– Havet talar inte, svarade Nelio. Havet är oändligt, det gungar eller ligger stilla. Du ska inte säga någonting eftersom havet inte talar.

– Det låter som en mycket tråkig roll, invände Nascimento.

– Men viktig, svarade Nelio. Om du fortsätter att säga emot får du inte vara med.

Den som visade sig ha förmågan att uppträda på scenen med den största naturligheten var Pecado. Han kom dessutom genast ihåg allt som Nelio sa till honom, han kom in på scenen när han skulle och sa de ord som Nelio ville höra. Nelio själv skulle sköta lamporna och släcka och ändra färg när det behövdes. Trots att de var mycket trötta drev han dem vidare. Varje morgon när de kom ut ur teaterbyggnaden, bleka och glåmiga, kunde de se att Alfredo Bomba gled allt djupare ner i sin sjukdom, och att det nu gick mycket fort mot slutet. Den tid de hade var inte lång.

Den tredje natten gick de igenom hela den föreställning de hade skapat. Frånsett att Nascimento hade somnat i kulissen, snarkande inuti sitt monsterhuvud, gick allting nästan som Nelio hade önskat. När han satt på den övre läktaren och betraktade det som skedde nedanför honom på scenen, samtidigt som han lät ljuset från strålkastarna stiga och falla, glömde han ibland var han befann sig. Resan till ön skalade av sig det yttre höljet som var drömmen och blev till en verklig resa som utspelade sig framför hans ögon.

Efteråt, när de åter samlades på scenen, och han sa åt Nascimento att han inte fick somna i kulissen, talade han om att de nu var färdiga. Bättre skulle de inte kunna göra sin föreställning.

– Innan vi går härifrån i natt ska vi sätta upp låset till dörren på baksidan. Det betyder att det är i morgon natt vi ska bära hit Alfredo Bomba så att han får vara med.

– Ska han inte se på? undrade Mandioca.

– När han ser på är han med, svarade Nelio. Det är det som är meningen med det vi håller på att göra.

– Han kanske inte förstår någonting, sa Pecado. Han kanske blir så besviken att han inte ens vill se till slut. Kanske han somnar.

Nelio kände att han inte orkade svara. Ingenting skulle ändå bli annorlunda. Allt som återstod var att invänta den följande natten. Han sa bara till dem att de skulle göra allt i ordning så att de kunde lämna teatern innan det hade börjat ljusna.

Den morgonen insåg Nelio att Alfredo Bomba inte skulle leva i många dagar till. Han hade slutat att äta, hans hud spände hårt över kraniet, ögonen sjönk allt djupare. De satt runt honom, tysta, trötta och rädda. Alla kände samma osäkra ängslan över att vara så nära döden.

Strax innan skymningen föll ett hårt regn över staden. De täckte över Alfredo Bomba med en gammal presenning som låg slängd intill bensinstationen. Men han tycktes ingenting märka, han var djupt nersjunken i sina oroliga drömmar.

– Gamla människor ska dö, sa Nascimento plötsligt och strök bort regnvattnet ur sitt ansikte. Gamla människor ska dö. Inte barn. Inte ens om de bara lever på gatan som Alfredo Bomba.

– Du har alldeles rätt, sa Nelio. Det är någonting som den här världen snart borde lära sig.

Nascimento satt tyst i regnet och betraktade Alfredo Bomba.

– Kan andar dö? frågade han sedan. På samma sätt som människor?

Nelio skakade på huvudet.

– Nej, sa han. Andar varken föds eller dör. De bara finns.

– Jag tror att Alfredo Bomba kommer att få det mycket bättre än vad han har det nu, sa Nascimento.

– Gamla människor ska dö, sa Nelio. Inte barn.

– Jag tror han kommer tillbaka som en hund, sa Nascimento tveksamt. Alfredo Bomba tycker om hundar. Hundar tycker om honom.

– Du har säkert rätt, sa Nelio. Prata inte mer nu.

Regnet slutade sent på kvällen. Alfredo Bomba sov. De var alla spända. Pecado var ofta ute på gatan och höll uppsikt över de beväpnade vakterna utanför teatern.

– Det är Armandio och Julio i natt, sa han. Armandio som är tjock sover redan. Julio brukar däremot vara vaken.

– De kommer inte att höra någonting, sa Nelio. Vi ska snart gå.

Tidigare under dagen hade Nelio gått till marknaden och lånat två grova kvastskaft av en gammal borstmakare som han kände från förr. På vägen tillbaka hade han plötsligt upptäckt senhor Castigo som hade släpats längs en gata mellan två poliser. Han hade varit slagen och blodig, kläderna hade hängt i trasor, som om en ursinnig folkmassa hade försökt slita honom i stycken. Han hade också sett Nelio. I ett kort, förvirrat ögonblick hade han försökt påminna sig vem pojken med de två kvastskaften var. Men Nelio tvivlade på att han hade känt igen honom.

Senhor Castigo är ett förebud, tänkte han. Han har blivit ertappad och slagen. I polisens mörka celler kommer han att bli ännu mera slagen. Av honom återstår snart bara resterna av något som en gång kanske var en människa. Hade jag inte kommit ifrån honom kunde jag nu ha varit som han.

Med hjälp av två gamla undertröjor som de drog över kvastskaften tillverkade de en bår. När tiden hade passerat midnatt lyfte de upp Alfredo Bomba som yrade och bar honom över den tomma gatan. De lyssnade i skuggorna innan de öppnade bakdörren och försvann in på teatern. Medan Nelio trevade sig fram till ljusbordet i mörkret väntade de andra bakom scenen. Nelio lät ett svagt gryningsljus, en rosa reflex över ett hav som ännu sov, svepa över det svarta scengolvet. Han återvände till de andra och de la ner båren längst framme vid scenens ramp. Nelio satte sig intill Alfredo Bomba medan de andra försvann för att förbereda sig. Ännu ville han inte väcka honom. Han kände på hans panna att han var mycket het.

Efter en stund stack Nascimento fram sitt monsterhuvud ur kulisserna och viskade att de var färdiga. Nelio nickade. Strax efteråt började vinden att blåsa. Den kom drivande ut från kulisserna, från Pecados och Mandiocas och de andras munnar. Försiktigt väckte Nelio Alfredo Bomba. Han drog honom varligt upp ur den djupa dvalan. När han slog upp ögonen lutade sig Nelio tätt över hans ansikte.

– Hör du vinden? frågade han.

Alfredo Bomba lyssnade. Sedan nickade han svagt.

– Det är vinden från havet, sa Nelio. Vi är på väg mot den ö som din mor berättade för dig om.

– Jag måste ha sovit, sa Alfredo Bomba. Har jag sovit? Var är vi?

– På ett fartyg, sa Nelio och vaggade långsamt med överkroppen. Känner du dyningen?

Alfredo Bomba nickade igen. Nelio hjälpte honom upp i sittande ställning och lutade hans rygg mot förscenens kant.

Sedan lämnade han Alfredo Bomba ensam och återvände till sitt ljusbord.

I sin sena ålderdom, när döden redan hade slagit rot i hans kropp, gjorde den gamle Alfredo Bomba den resa han hade drömt om och förberett sig för i hela sitt liv. En natt, när ebben gått ut och vattnet stigit, vadade han ut till en liten fiskebåt med treskuret segel som skulle föra honom längs kusten till den flodmynning som bara de av sina mödrar betrodda kunde finna. Ombord på fiskebåten fanns en osynlig rorsman, en hund, en man med en säck ris och ett skeppsbrutet monster, som då och då visade sig vid fartygssidan. De navigerade efter stjärnorna och höll en stadig kurs mot Pegasus andra stjärna. Strax innan gryningen upplevde de en hård storm från nordost, när vinden slet i seglet, åskan dånade och blixtarna korsade varandra. Efteråt var havet åter stilla, det skeppsbrutna monstret tycktes ha omkommit i vågorna, och mannen med rissäcken stod orörlig i fören och spanade efter flodmynningen. Hunden hade lagt sig vid Alfredo Bombas sida. Den hade haft händer istället för tassar, men Alfredo Bomba insåg med all sin ålders vishet, att resor längs okända kuster innebär att man färdas i sällskap med märkliga varelser man tidigare aldrig har sett. De hade närmat sig land i den tidiga gryningen. Kusten hade varit full av branta klippor. Mannen i fören hade offrat en handfull ris till havet och en flod hade brutit igenom klipporna. De hade sedan seglat uppför floden som till en början hade varit mycket bred. Monstret hade nu återkommit i en krokodils skepnad. Men Alfredo Bomba kände sig hela tiden trygg i sällskap med den osynlige rorgängaren, hunden och mannen med rissäcken. På flodens stränder hade människor varit synliga och de hade alla vinkat till honom. Hela tiden hade Alfredo Bomba en känsla av att han kände igen de som vinkade, på samma sätt som han tyckte att hunden vid hans sida var en hund han mött tidigare i sitt liv. Men han tänkte att det kunde ha skett när han ännu var mycket ung, ännu bara var ett barn. När de hade färdats under lång tid, skrapade deras fartyg mot en osynlig sandbank i flodens mitt. Hunden reste sig på sina människoliknande bakben, tog rissäcken och vadade mot en ö som låg strax intill det ställe där båten hade strandat. Mannen som stått i fören under hela resan och oavbrutet spanat, vände nu för första gången på sitt huvud. Alfredo Bomba tyckte då att han kände igen även honom. Det var ett ansikte som kom glidande emot honom ur det förflutna. Sedan mindes han vem det var.

– Pecado, sa han. Är det verkligen du?

– Pecado var min far. Jag är hans son.

– Jag minns honom, sa Alfredo Bomba drömmande. Du är mycket lik honom. Men han hade ingen mustasch som satt på sned under hans näsa.

– Vi är framme. Jag ska hjälpa dig i land.

Pecados son hjälpte den kraftlöse Alfredo Bomba upp ur båten. De omsveptes för ett ögonblick av havet, som liknade ett blåfärgat sidentyg. De vadade ett kort stycke innan de nådde land. Ljuset var nu mycket skarpt, som om solen hade förökat sig och lyste med många ögon över hans huvud. Pecados son satte ner honom i en vilstol och fällde upp en parasoll över hans huvud. Hunden låg åter vid hans sida, fartyget och krokodilen hade försvunnit. Allt var mycket stilla.

– Vad hände med din far? frågade Alfredo Bomba, som

märkte att stillheten på den lilla sandön förde honom bakåt i tiden med svindlande hastighet.

– Det var min son som förde dig hit, svarade Pecado. Jag är hans far.

Alfredo. Bomba betraktade honom förundrat. Sedan upptäckte han att mustaschen under näsan var borta. Det var verkligen Pecado som satt där bredvid honom.

– Allt är så länge sedan, sa Alfredo Bomba, och han märkte att havet långsamt höll på att tränga in i hans kropp. En dyning hade börjat gunga innanför hans hud.

– Även du har blivit gammal, fortsatte han och fortsatte att betrakta Pecado med förundran.

Pecado log. Sedan pekade han ut mot floden. Alfredo Bomba kisade i det starka solljuset. Han såg Nelio komma vadande med uppkavlade byxben. Vid hans sida fanns Nascimento, Mandioca, Tristeza. Snart var de samlade runt honom. Han såg att alla var gamla, på samma sätt som han själv.

– Jag trodde aldrig vi skulle träffas igen, sa Alfredo Bomba. Jag förstår inte längre vad jag alltid gick omkring och var rädd för.

– Vi är här, sa Nelio. Där vänner samlas finns aldrig plats för rädsla.

Alfredo Bomba kände att dyningen inom honom växte sig allt starkare. Den var på väg att föra honom bort mot någonting okänt men ännu ej fruktat. Vattnet var varmt och han kände sig behagligt dåsig. Solljuset var mycket starkt och ansiktena runt honom höll långsamt på att suddas ut.

– Vem var det som förde mig hit? frågade han. Jag borde tacka den man som stod vid rodret.

– Det var din mor, sa den röst som tillhörde Nelio, men vars ansikte han inte längre kunde se.

– Var är hon? frågade Alfredo Bomba. Jag kan inte se henne.

– Hon finns bakom dig, var det någon som sa, och nu var det hunden som låg vid hans sida som talade.

Alfredo Bomba orkade inte vrida på huvudet. Men han kände hennes varma andedräkt mot sin hals. Dyningen gungade inom honom, han var mycket trött, och han tänkte att det var länge sedan han hade sovit. Han slöt ögonen, hans mor satt alldeles bakom honom i sanden, och han visste nu att han hade varit rädd alldeles i onödan. Det som hade hänt skulle fortsätta att hända, hans vänner skulle alltid fortsätta att finnas runt honom.

Sedan slocknade solarna runt honom, en efter en. Han log vid tanken på den märkliga hunden som hade människohänder istället för tassar. Han måste komma ihåg att berätta för Nelio när han vaknade. En hund som hade händer istället för tassar...

De stod runt honom och såg honom sova.

– Han ler, sa Nascimento. Men han applåderade inte. Jag tror han blev rädd för monstret.

– Var tyst, sa Nelio. Du pratar för mycket, Nascimento.

Nelio betraktade Alfredo Bombas ansikte. Där fanns ett uttryck han inte tidigare hade sett.

Så insåg han att Alfredo Bomba var död. Han tog ett steg tillbaka.

– Han är död, sa Nelio.

Först förstod de inte vad han menade. Sedan såg de själva att Alfredo Bomba inte andades och de ryggade bakåt.

– Var vi så dåliga? sa Mandioca.

– Jag tror vi gjorde det bästa vi kunde ha gjort, svarade Nelio, och hans röst var tjock av sorg.

Ingen av dem sa någonting. Nascimento hade vänt ryggen till och flytt in i monstrets huvud.

En råtta prasslade under scengolvet.

Sedan hände allting mycket hastigt.

Dörrarna längst bak i salen rycktes upp. Där var någon som skrek. I det skarpa strålkastarljuset kunde de inte se vem det var. Alla utom Nelio flydde ut i kulisserna. Någon fortsatte att skrika, Nelio uppfattade att han skulle sträcka upp sina armar, att han skulle ge upp. Han stod kvar framför Alfredo Bomba som satt död i vilstolen och tänkte att även ett dött gatubarn förtjänade att bli försvarat. Därefter gick han fram mot rampen för att förklara att ingenting hade hänt. Två skott small i tät följd. Nelio kastades bakåt och blev liggande på scengolvet, alldeles framför Alfredo Bombas fötter. Han kände hur hans blick blev oklar och att han började sjunka. Vagt anade han att någon stod och såg på honom. Kanske var det Julio, en av vakterna utanför teatern. Men ansiktet var otydligt och han var heller inte säker på att han kände igen rösten. Det kunde också vara dödens genomskinliga ansikte. Som kommit för att hämta Alfredo Bomba, och nu bestämt sig även för mig, hade han tänkt.

Ansiktet som hade böjt sig över honom försvann. Han hörde springande steg som avlägsnade sig. Sedan var allting åter tyst. Ljuset från strålkastarna var mycket starkt. Han blundade. Varje gång han andades skar en smärta genom honom. Det var som om han hade ett hål rakt igenom kroppen. Trots smärtan försökte han förstå vad som hade hänt. Det måste ha varit åskan, tänkte han. Jag borde ha förstått att det ljudet, när någon drog och skakade åskplåten, skulle höras ut på gatan. Vakterna skulle börja undra, och de skulle tro att vi var tjuvar som brutit oss in. Och de skjuter eftersom de är rädda för att själva bli skjutna. Hade jag stått alldeles stilla hade de kanske sett att jag bara är ett barn.

Åter hörde han steg. Den här gången var de inte främmande. Det var magra tassar som försiktigt vidrörde scenens golv. Flocken kom tillbaka. Han slog upp ögonen och såg deras förskrämda ansikten. Han ansträngde sig till det yttersta för att de inte skulle märka hur ont han hade.

– Ni måste bära bort Alfredo Bomba, sa han. Ni får inte lägga honom på gatan eller i ett dike. Ni måste se till att han får en ordentlig begravning. Bär honom till bårhuset och ge nattvakten de pengar ni har kvar. Då kommer de att ta honom till kyrkogården i morgon när det har blivit ljust. Men innan ni går måste ni ställa tillbaka allting som det var innan vi kom.

– Ska du ligga kvar här? sa Nascimento.

– Jag ska bara vila mig, svarade Nelio. Jag kommer efter. Gör nu som jag säger. Även om jag blöder mycket är det inte så farligt som det ser ut. Skynda er på. Gryningen är snart här.

De gjorde som han hade sagt, de hängde tillbaka kostymerna, lyfte upp Alfredo Bomba och bar sedan bort honom.

Runt Nelio var allt åter stilla. Han försökte känna efter om han skulle dö snart, eller om det skulle ta tid. Hålet i hans kropp tycktes inte utvidga sig. Det gjorde fortfarande mycket ont när han andades. Ändå insåg han att han inte skulle dö nu genast. Han skulle ännu inte följa efter Alfredo Bomba.

Nelio hade talat med slutna ögon. Då och då hade hans röst varit så svag att jag hade haft mycket svårt att uppfatta vad han sa. Men nu slog han upp ögonen och såg på mig.

– Resten kan du berätta, sa han. Jag låg där på scenen, du kom och du bar upp mig hit på taket. Hur länge jag har varit här vet jag inte.

– Det är den nionde natten, sa jag.

– Den nionde natten och den sista, svarade Nelio. Jag känner att jag inte orkar länge till. Jag håller redan på att lämna mig själv.

– Jag måste ta dig till sjukhuset, sa jag. Där finns läkare som kan göra dig frisk.

Nelio såg länge på mig innan han svarade.

– Ingen kan göra mig frisk igen. Det vet du.

Jag gav honom vatten att dricka. Det fanns ingenting annat jag kunde göra.

Någonstans ute i mörkret hördes två berusade personer gräla. Jag la handen på hans panna och kände att den var mycket het.

– Jag har inte mer att berätta, sa Nelio. Det känns som om mitt liv har varit mycket långt. Jag är glad för att det var du som fann mig och bar upp mig på det här taket. Jag vill också be dig om att du bränner min kropp när jag inte längre finns kvar i livet.

Han såg att jag ryggade tillbaka vid tanken.

– Hur ska du kunna bära mig härifrån? frågade han. Hur ska du kunna förklara att jag har legat här uppe på taket och dött? Du måste bränna min kropp för att bli av med mig.

Jag insåg att han hade rätt.

– Det tar en timme för mig att försvinna, sa han. Min kropp är mycket liten.

Efteråt gick det mycket fort.

När han hade bett mig om att göra honom den sista tjänsten och förstått att jag skulle villfara hans önskan, bad han mig bara ytterligare en gång om vatten att dricka. Sedan slöt han ögonen och vände sig bort från världen. Hans ansikte var mycket fridfullt.

Vilka var hans sista ord? Sa han någonting mer?

Ännu efter det att ett år har gått är jag osäker. Men jag tror inte han sa någonting mer.

Min kropp är mycket liten.

Det var det sista han sa.

Natten var stilla. Jag satt och såg på hans bleka ansikte i skenet från den fladdrande lampan.

Jag minns att hans ansikte av någon egendomlig anledning påminde mig om havet. Där fanns en upplevelse av oändligheten inskriven.

Ett bortglömt vindkast strök sin hand över taket och gav en plötslig svalka. När den drog bort var Nelio död.

Och den nionde natten gick mot sin gryning.

Gryningen

Jag kommer aldrig att glömma den morgonen.

När jag lämnade bageriet steg jag ut i ett gryningsljus jag aldrig tidigare hade upplevt. Eller var det mina ögon som hade förändrats? Så att de nu äntligen kunde uppfånga ljusets hemligheter, morgonrodnaden som var färgad av Nelios osynliga ande som svävade fritt i sin egen rymd? Jag stod alldeles stilla på gatan, den insikt som Nelio hade gett mig där uppe på taket, att en människa alltid befinner sig mitt i världen, var hon än är, framstod nu som alldeles självklar.

En råtta satt vid kanten till en trasig kloaklucka och betraktade mig med orörliga ögon.

I det ögonblicket gick en lätt skakning genom jorden. Jag hade aldrig upplevt det tidigare men jag visste ändå vad det var. De gamla som hade upplevt det under Dom Joaquims första år som guvernör hade berättat om hur jorden börjat skaka, hur marken hade öppnat sig och hus störtat samman. De som hade levt så länge att de hade varit med och kunde minnas, hade efteråt alltid väntat på att skakningarna en dag skulle återkomma och jorden rämna på nytt. Jag visste att det var därför så många gamla människor vägrade att gå i trappor, eller att ha sina sängar på första eller andra våningen i husen i *stenstaden*. De ville bo på marken, nära jorden, trots att sprickan kunde öppna sig precis framför deras fötter. De ville hellre uppslukas av den varma jorden än att krossas under sammanstörtande hus.

Skakningarna varade mycket kort tid, knappast mer än tio sekunder. Det rasade flagnad cement från bageriets vägg, en fönsterruta klirrade. Råttan hade försvunnit i underjorden. Det var allt. Sedan var det åter stilla. De morgontidiga människor som fanns på gatan, de yrvakna gatubarnen, arbetare och *empregados* på väg till sina olika sysslor, hade stannat i steget. Det var som om skakningen egentligen inte kändes i kroppen, den var mer som ett ljud man tyckte sig höra, en känsla av att något ovanligt höll på att ske. När det var över hade allt blivit mycket stilla. Staden höll andan. Därefter utbröt ett våldsamt tumult. Människor strömmade ut ur husen, många fortfarande i sina nattkläder. Några bar på små skrin med sina dyrbarheter, andra tycktes planlöst ha gripit närmaste föremål. Jag såg människor komma med små speglar, solfjädrar, en stekpanna. Paniken var mycket nära, alla ställde sig i små oroliga klungor mitt i gatan för att inte riskera att få ett fallande hus över sig.

Jag la då märke till något mycket egendomligt. Alla såg uppåt, mot himlen och solen, trots att skakningarna hade kommit nerifrån, en osynlig rörelse i jorden. Jag förstår fortfarande inte varför det var så, trots att jag har grubblat mycket under det år som gått.

Den ende som inte var rädd måste ha varit jag.

Inte för att jag är modig eller orädd, utan för att jag var den ende som visste vad det var som hade hänt. Den skakning vi hade hört, eller känt som ett egendomligt förebud, hade varit Nelios ande som sprängt sig fri från de sista banden han hade med den här världen, och med våldsam kraft slungat sig igenom den genomskinliga barriär som utgör gränsen till den andra världen, där hans förfäder och de som en gång levt i den brända byn väntade på honom. Också Alfredo Bomba skulle finnas där och livet var redan ett avlägset minne, som en gåtfull dröm man inte helt kommer ihåg. Jag såg på de sammanklungade människorna och tänkte att jag borde klättra upp på taket av en bil och förklara vad det var som hade hänt. Men jag gjorde det inte. Jag bara gick därifrån, ner mot stranden, där jag satte mig i skuggan av ett träd vars rötter den undflyende sanden nästan helt hade blottlagt. Jag satt och såg ut över havet, de små fiskebåtarna med sina trekantiga segel som var på väg ut i den breda solstrimman.

Sorgen var tung. Den värdighet med vilken Nelio hade lämnat den här världen kunde bara delvis lindra smärtan av att ha blivit lämnad ensam. Samtidigt visste jag inte om jag helt kunde lita på mitt eget omdöme. Jag var trött efter de långa nätterna, jag var utmattad på ett sätt som jag tidigare i mitt liv aldrig hade upplevt.

Jag somnade också där jag satt vid trädet i sanden. Drömmarna var oroliga, Nelio levde, han hade förvandlats till en hund som jag sprang omkring i staden och letade efter. När jag vaknade var jag genomvåt av svett och mycket törstig. På solen kunde jag se att jag hade sovit i många timmar. Jag gick ner till vattenbrynet och sköljde av ansiktet. När jag återvände in till staden märkte jag att morgonens oro var borta. Här och där stod människor och talade om den märkliga skakningen i jorden, men det verkade redan vara ett avlägset minne. Man hade nu börjat vänta på nästa gång, kanske om hundra år, när det skulle hända igen.

Jag kom till bageriet och såg att bagarna redan var igång med att dra ut brödplåtar ur ugnarna. Vid sidan av en av ugnarna upptäckte jag plötsligt en bit av det bandage Nelio hade haft runt sin bröstkorg den sista natten. Den måste ha lossnat när jag sköt in hans kropp i elden. Jag såg mig runt och plockade upp den och slängde snabbt in tyget i elden. Sedan gick jag ut på bakgården och tvättade mig över hela kroppen. Jag tänkte att jag nu borde återvända till det hem jag delade med min bror och hans familj. Mitt liv skulle nu återgå till vad det varit innan jag hörde skotten falla i den nattomma teatern. Nelio var borta. Däremot fanns Maria, hennes leende, och allt bröd som vi fortfarande hade kvar att baka under ett oräkneligt antal nätter som låg framför oss.

Men det var fortfarande för tidigt. Jag gick upp på taket och väntade mig nästan att Nelio skulle finnas där, med sitt feberbleka ansikte. Men madrassen var tom, formad av hans magra kropp. Jag skakade den och ställde den mot skorstenen för att den skulle luftas. Jag vek ihop filten som jag skulle lämna tillbaka till nattvakten. Sedan var det inget mer. Koppen med fru Muwulenes örter stoppade jag i fickan. Just när jag skulle gå upptäckte jag katten som några nätter hade kommit på besök och rullat ihop sig vid Nelios fötter. Jag försökte locka på den utan att lyckas. Den höll sig på vaksamt avstånd. När jag reste mig för att gå satt den fortfarande kvar och betraktade mig. Det var sista gången jag såg den. Under alla de nätter jag senare har tillbringat på taket kom den aldrig någonsin tillbaka.

Jag tänker ibland att Nelio kanske har lockat den med sig, över till den andra världen. Kanske katter kan förbi levande i de dödas land?

När jag gick från taket hade Dona Esmeralda kommit. Hon hade en påse pengar med sig, gud vet var hon hade fått tag på dem och hon satt nu på sin pall och betalade ut löner med sina smala och skrynkliga fingrar. Trots att hon inte var snål tycktes hon alltid ha lika svårt att lämna pengarna ifrån sig. Jag trodde jag hade förstått varför. Det var så mycket hon behövde göra på sin teater, så mycket hon hellre ville använda pengarna till. Inte för egen del. Dona Esmeralda köpte aldrig något till sig själv. Den hatt hon bar var säkert femtio år gammal, liksom hennes klänningar och de nötta skor hon hade på fötterna.

– Märkte du jordbävningen? frågade hon plötsligt.

– Ja, svarade jag. Jorden skakade. Två gånger, som när man i en dröm rycker till av något oväntat.

– Jag minns när det hände förra gången, sa hon. Det var under min fars tid. Prästerna trodde att det var ett förebud om att jorden snart skulle gå under.

Vi sa inte mer. Jag betalade igen de pengar jag lånat av flickorna i bröddisken och gick sedan ut i staden. Gatubarnen letade mat i soptunnorna, de indiska affärsmännen drog upp de tunga järnjalusierna framför fönster och dörrar, överallt luktade det av majsgröt som stod och kokade, och ingen, absolut ingen visste att Nelio var död.

Utan att jag förstod varför stannade jag plötsligt utanför en av de indiska butikerna och steg in i dunklet. Allt var som vanligt. Bakom kassaapparaten satt en tjock indisk kvinna och vakade över sina svarta expediter. En mycket gammal man frågade bugande vad jag önskade.

Vad önskade jag?

– Jag önskar Nelio tillbaka, sa jag. Jag önskar att han åter var i livet.

Den gamle mannen betraktade mig tankfullt.

– Vi har inte det, sa han sakta. Men om senhõr försöker i butiken på andra sidan gatan. De har oväntade varor. De importerar direkt från länderna där människornas ögon är sneda.

Jag tackade honom.

Sedan köpte jag en hatt. Jag såg dem hänga bakom honom på väggen och pekade på den i mitten.

– En hatt är bra i värmen, sa den gamle mannen och häktade ner den med en lång kloförsedd stång.

Hatten var vit och hade ett svart bälte runt brättet. Han skrev ut en räkning som jag betalade till kvinnan vid kassaapparaten. När jag skulle lämna fram mina pengar insåg jag att den kostade mer än halva min månadslön. Jag hämtade min hatt, satte den på huvudet och återvände ut i solen.

Jag gick till ett kafé och åt. Mitt huvud var tomt.

På kvällen återvände jag till bageriet. Maria hade redan kommit.

Hennes klänning var luftig och tunn, hennes leende mycket stort.

– Märkte du jordbävningen? frågade jag.

– Nej, sa hon och log. Jag sov. Sedan började vi arbeta. Strax efter midnatt följde jag henne ut på gatan. Jag snuddade vid hennes arm när vi skildes. Hon log.

Den natten gick jag aldrig upp på taket. När jag behövde luft gick jag ut på gatan och satte mig på trappan.

Dagen efter gick jag hem till min bror och hans familj. De blev mycket glada att se mig. Min svägerska undrade om jag var sjuk.

– En människa som köper en ny hatt är inte sjuk, sa min bror. En man gör som han vill. Han går hem om han vill, han stannar borta om han vill.

Jag låg länge vaken i min säng och hörde på alla ljud som trängde genom de tunna väggarna.

Jag insåg att någonting höll på att hända inom mig. Men jag visste inte vad.

Inte än.

Det gick några veckor. Jag bakade mitt bröd, snuddade vid Marias arm, och hängde min hatt på en krok intill ugnarna. Vid några tillfällen när jag inte orkade gå hem på morgonen, kröp jag genom ventilationstrummorna och följde Dona Esmeraldas repetitioner på pjäsen om de revolutionära elefanterna. Olika skådespelare fick prova i rollen som Dom Joaquim, men ingen fann nåd inför Dona Esmeraldas ögon. Skådespelarna verkade mer och mer förvirrade över innehållet i pjäsen. De försökte spela den på olika sätt, som tragedi och komedi, som fars och som lustspel. Men hur de än gjorde hängde snablarna i vägen. Vid ett tillfälle började den vackra, unga och bortskämda Elena att gråta på scenen. Det såg mycket märkligt ut, att se henne försöka torka tårarna bakom snabeln. Det var den enda gången jag brast ut i skratt under den här tiden, efter Nelios död. Ett enda skratt som svävade viktlöst i den rymd där jag inte längre kände mig hemma.

Det var en natt när jag just hade följt Maria ut på gatan, sett henne le, sett henne gå. Jag återvände in i bageriet och sköt in en bakplåt i ugnen och slog igen luckan.

Då visste jag att det var sista natten jag arbetade hos Dona Esmeralda.

Jag skulle göra allting färdigt. På morgonen skulle jag tvätta mig på baksidan av bageriet, sedan ta min hatt och gå därifrån för att aldrig mera återvända.

Jag hade insett att jag inte längre kunde vara bagare. Jag hade ett annat uppdrag under den tid som var kvar av mitt liv. Jag måste berätta Nelios historia. Världen kunde inte klara sig utan den. Den fick inte lov att bli glömd.

Jag kan fortfarande, efter mer än ett år, minnas ögonblicket mycket klart. Egentligen fattade jag aldrig något beslut. Beslutet hade redan funnits inom mig, men det var inte förrän nu som jag insåg vad som var nödvändigt för mig att göra. Jag tänkte att jag skulle sakna doften av det färska brödet. Jag skulle sakna Maria och hennes luftiga klänningar. Kanske jag till och med skulle sakna Dona Esmeralda och hennes teater?

Ändå var inte ögonblicket svårt. Jag tror det är riktigare att säga att det var en lättnad.

På morgonen när jag hade tvättat mig och tagit min hatt väntade jag på Dona Esmeralda för att meddela henne mitt beslut. Men hon dröjde. Till slut vände jag mig till en av de retsamma flickorna i bröddisken.

– Jag slutar nu, sa jag och lyfte på hatten. Säg till Dona Esmeralda att José Antonio Maria Vaz inte arbetar här längre. Hälsa henne att jag har varit mycket glad för den tid jag har varit här. Hälsa henne också att jag aldrig någonsin, så länge jag lever, kommer att baka bröd åt en annan bagare.

Var det Rosa jag talade med? Jag minns bara hennes förvånade ansiktsuttryck. Vem kunde vara så dum att han slutade frivilligt hos Dona Esmeralda? Med tusentals människor redan utan arbete, utan pengar, utan mat?

– Du hörde rätt, sa jag och lyfte på hatten ännu en gång. Du hörde rätt. Jag går nu och kommer inte tillbaka.

Men det var inte alldeles sant. Jag hade redan bestämt mig att invänta Maria på kvällen. Jag skulle gå henne till mötes eftersom jag ville ta farväl av henne och önska henne lycka till i framtiden. Kanske jag innerst inne hoppades att hon då skulle följa mig? Jag vet inte. Men vart skulle hon ha följt mig? Vart var jag egentligen på väg?

Mitt svar var att jag inte visste. Jag bar på en nödvändig uppgift men jag visste inte åt vilket håll jag skulle gå.

När jag hade lämnat bageriet den sista morgonen kände jag en stor frihet. Jag visste inte ens varför jag skulle behöva sörja Nelio.

Kanske jag hellre borde sörja Alfredo Bomba som säkert skulle vantrivas där han nu befann sig. Han skulle säkert under lång tid längta tillbaka till livet på gatan, till flocken, till soptunnorna och pappkartongerna utanför justitiedepartementet.

Det är ju så. En människa kan längta efter en soptunna eller ett evigt liv. Det beror helt och hållet på.

Jag gick till torget med Nelios ryttarstaty. När jag kom fram upptäckte jag till min häpnad att den hade fallit omkull. Det var en stor folksamling på torget, de indiska affärsmännen hade inte öppnat sina butiker, medan Manuel Oliveira däremot hade slagit upp sin kyrkas portar på vid gavel.

Ryttarstatyn hade fallit.

Jag förstod att skakningarna på morgonen hade varit tillräckliga för att fundamentet till den tunga statyn skulle brista. Bronshästen låg på sidan, mannens hjälm hade krossats. Det var den sista resten av en annan tid som hade störtat mot jorden. Journalister från stadens tidningar skrev, en fotograf tog bilder, barnen hade redan börjat leka och hoppa på Dom Joaquims sista monument.

Manuels kyrka var full av folk. De rabblade sina böner som skydd och besvärjelse för att skakningarna inte skulle återkomma. Den gamle Manuel stod under det höga svarta korset i den bortre änden av kyrkan och betraktade det under som hade inträffat. Kanske grät han, jag stod på så långt avstånd att jag inte kunde avgöra det med säkerhet. Jag gick därifrån och tänkte att Nelios ande svävade över mitt huvud. Hans plåga var över, kulorna i hans kropp kunde inte längre förgifta honom. Som en sista hälsning hade han låtit den häst i vars mage han bott störta mot marken. Jag satt sedan i många timmar på en bänk vid sjukhuset där man har utsikt över hela staden. På avstånd, om jag kisade med ögonen, kunde jag också se det tak där Nelio hade legat under de nio nätter han hade berättat sin historia.

Jag hade mycket att tänka på. Var skulle jag bo? Vad skulle jag leva av? Vem ger en människa som bara har en historia att berätta den föda han behöver? Jag satt där på bänken i skuggan och blev alltmer orolig.

Sedan tänkte jag på barnen som lever på gatorna, på Nelio, Alfredo Bomba, Pecado och de andra. De fann sin mat i soptunnorna, de fattigas gratisbespisning. Den maten var också för mig. Jag kunde bo var som helst. Som en ödla kunde jag söka mig till en tillräckligt bred spricka i en mur. Det fanns pappkartonger, rostiga bilvrak. Staden var full av bostäder som inget kostade.

Jag visste att jag inte längre kunde bo kvar hos min bror och hans familj. Det var en bostad som tillhörde det liv jag hade lämnat. Jag reste mig från bänken och var egendomligt upprymd. Jag hade oroat mig i onödan. Jag var en rik man. Jag hade Nelios historia att berätta. Något annat behövde jag inte.

På kvällen inväntade jag Maria i mörkret utanför bageriet. När jag såg henne komma vågade jag plötsligt inte gå fram till henne. Jag försökte gömma mig i mörkret. Men hon hade redan sett mig, hennes klänning var luftig och hon log. Jag steg fram ur mörkret, jag tänkte att jag nästan var som en skådespelare som klev ut från kulisserna och in på den upplysta scenen. Hastigt strök jag över mitt ansikte för att känna efter att jag inte hade någon osynlig snabel fäst vid min näsa. Sedan lyfte jag på hatten.

– Maria, sa jag. Hur ska jag någonsin kunna glömma en kvinna som sover så hårt att en jordbävning inte kan väcka henne. Vad drömde du om?

Hon skrattade och kastade med sina långa svarta *tranças*.

– Mina drömmar angår bara mig, sa hon. Men jag tycker om din hatt. Den passar dig.

– Jag köpte den för att kunna lyfta på den för dig, sa jag.

Hon blev med ens mycket allvarlig.

– Varför står du här?

Jag hade tagit av mig hatten och höll den framför bröstet, som om jag befann mig på en begravning.

Sedan sa jag som det var. Att allting var över. Att jag hade slutat.

– Varför? frågade hon när jag hade tystnat.

– Jag har en historia som jag måste berätta, sa jag.

Till min stora förvåning verkade det som om hon förstod mig. Hon verkade inte förvånad som flickan i bröddisken hade varit.

– Man ska göra det man måste, sa hon.

Sedan skildes vi. Hon hade bråttom till bageriet. Hon ville inte komma för sent. Jag hann inte ens snudda vid hennes arm. Det var sista gången hon stod så nära mig.

Efteråt har jag sett henne på stadens gator, med en annan man, och hon har haft en stor mage, men det har alltid varit på avstånd.

Maria, den kvinna jag aldrig glömmer, fanns i min närhet. Den Maria jag ibland ser på gatorna, på avstånd, är en annan.

Jag såg henne gå därifrån. En gång vände hon sig om,

vinkade och log. Jag lyfte på hatten och höll den i handen tills hon var borta. Jag satte sedan aldrig tillbaka hatten på mitt huvud. Jag behövde den inte längre. Jag la den överst på en soptunna som stod i närheten. Efteråt tror jag mig en gång ha sett resterna av min hatt, på ett gatubarns huvud. Det verkade på mig som om hatten trivdes där den var.

Det har gått ett år sedan Nelio dog.

Jag såg Maria försvinna och jag gick in i mitt nya liv. Jag började leva som en tiggare, sökte mat i soptunnorna, sov i husens och murarnas springor, och jag började berätta min historia,

Nelios flock hade splittrats. Jag återsåg Nascimento som hade sökt sig till en grupp av de vildaste barnen, de som höll till utanför den centrala marknaden. Han verkade som vanligt. Överallt där han gick hade han sin papplåda med sig. Jag undrade om han nånsin skulle lyckas dräpa de monster han bar inom sig. Även om han nu hade en kniv som han ofta satt och slipade.

Pecado upptäckte jag en gång när jag vandrade i de rikas kvarter i staden. Han sålde blommor i ett gathörn. Jag undrade om han drev upp dem i sina egna fickor på samma sätt som Mandioca. Jag tror han gjorde goda affärer, för han hade både hela och rena kläder på kroppen.

Tristeza snubblade jag över en gång utanför ett av de stora kaféerna där turister och *cooperantes* brukade samlas. Han hade somnat mitt på trottoaren och hans gymnastikskor var borta. Åter var han barfota. Han var det smutsigaste gatubarn jag någonsin sett. Han stank. Han hade variga sår efter loppor och skabb och han rev och klöste sig i sömnen. Han var mycket mager och jag tänkte att Nelio hade haft rätt. Han skulle inte leva länge i den värld som inte behövde människor som tänkte långsamt. Jag gick därifrån utan att väcka honom och jag återsåg honom aldrig mer.

Mandioca var borta. Jag undrade länge om han hade råkat ut för någon olycka, om också han var död. Av en tillfällighet fick jag efter lång tid veta att han frivilligt hade sökt upp ett av de stora hus där vitklädda nunnor gav barnen kläder och mat. Han hade bestämt sig för att stanna. Jag tror heller aldrig att han återvände till gatorna.

Jag återsåg även Deolinda.

Det är ett av de mörkaste minnen jag har från det år som gått sedan Nelio låg på taket och dog.

Det var en sen kväll, på en av de centrala gator, som leder förbi de kvarter där uterestaurangerna ligger, mot de rikas kvarter, där många *cooperantes* har sina hus. Vart jag var på väg minns jag inte eftersom jag sällan är på väg någon annanstans än dit mina steg leder mig. I gatukorsningarna brukade flickorna stå och bjuda ut sig. Jag tyckte alltid det var genant att passera dem och brukade titta i gatan eller åt andra hållet. Men i ett av de gathörnen, en sen kväll, hade jag återsett Deolinda. Hon hade varit hårt målad, nästan till oigenkännlighet, hon hade haft utmanande kläder och hon hade stampat otåligt med foten i gatstenen. När jag hade passerat henne stannade jag och vände mig om. Jag hoppades att Cosmos en gång skulle återvända från sin långa resa och ta vara på sin syster.

Jag hoppades då att det inte skulle vara för sent.

Om kvällarna, när jag är på väg till mitt tak, händer det att jag stannar utanför någon restaurang där jag kan lyssna på musiken. När jag hör de entoniga men vackra tonerna från en *timbila* återvänder jag i minnet till nätterna tillsammans med Nelio. Jag kan stå där i timmar och lyssna. Ur musiken framträder röster, sedan länge glömda, av alla utom av mig.

En enda gång sökte jag mig ut till den stora kyrkogården där Nelio tillbringat en natt i senhor Castigos gravhus. Jag letade mig fram till det område där fattiggravarna fanns. Där någonstans låg resterna av Alfredo Bombas kropp. Hans ben blandades redan med andras där nere i jorden, de låg där, hopträngda med varandra, den enes käke mot den andres hand, och de ropade som en kör i yttersta förtvivlan över sitt öde. Jag tyckte mig känna den oroliga dansen av alla de andar som inte kom till ro, och så länge andarna inte var lugna skulle också kriget fortsätta att härja detta land.

Min historia närmar sig slutet. Jag har berättat allt och jag börjar om igen.

Jag vet att jag kallas Vindarnas Krönikör, eftersom ingen ännu orkar lyssna på det jag har att säga.

Men jag vet att den dagen kommer.

Den kommer eftersom den måste komma.

Ett år har gått sedan skotten föll.

Jag tillbringar mina nätter på teaterns tak.

Det är ändå där jag hör hemma.

Bagaren som arbetar under nattens tysta timmar, han som kom i mitt ställe, säger aldrig någonting om att jag är där. Han delar också ibland sin mat med mig.

Jag behöver stillheten där uppe på taket, efter de långa dagarna under den brännande solen. Jag har fortfarande kvar min madrass. Där kan jag ligga och se på stjärnorna innan jag somnar. Där kan jag tänka på allt som Nelio sa till mig innan han dog, och jag vet att jag måste fortsätta att berätta hans historia, även om det så bara är vindarna från havet som lyssnar på det jag har att säga. Jag måste fortsätta att berätta om den här jorden som sjunker allt djupare ner i sin vanmakt, där människor tvingas leva för att glömma och inte för att minnas. Jag måste fortsätta att tala så att drömmarna inte blir heta av feber, kallnar och till sist dör. Det är som om Nelio ville lägga sin hand på jordens panna och blanda fru Muwulenes örter i världens alla floder och hav. Jorden sjunker allt djupare, gatubarnens flockar blir allt fler och allt större, gatubarnen som lever i de fattigaste av alla länder, gatubarnsländerna.

Min historia är slut och den börjar ständigt om igen. Till sist kommer den att ligga som en osynlig ton, inbäddad i den evigt susande vinden från havet. Den kommer att finnas i regndropparna som faller mot den torra jorden, den finns till sist i luften som vi andas. Jag vet att det är sant, det som Nelio sa, att vårt sista hopp är att vi inte glömmer vilka vi är, att vi är människor som aldrig någonsin kommer att kunna styra över de ljumma vindarna från havet, men kanske en gång kommer att förstå varför vindarna alltid måste blåsa.

Jag, José Antonio Maria Vaz, en ensam man på ett tak, under den tropiska stjärnhimlen, har en historia att berätta…

Ordförklaringar

alface	sallad
avô	farfar, morfar
bairro	bostadsområde
barracca	skjul med öl- och spritförsäljning
bomba	pump
camarada	kamrat
capulana	tygstycke, trad. afrikanskt kvinnligt klädesplagg
cassava	maniok, rotfrukt, basföda i delar av Afrika
castigo	straff
cavalo	häst
chefe de posto	portugisisk lokal administratör under kolonialtiden
cooperante	biståndsarbetare
criminosos	kriminella, terrorister
curandeiro	traditionell läkare
empregada	hembiträde
feticheiro, feticheira	trollkarl, häxmästare, häxa
halakawuma	Shangaan: ödla. Enligt tradition ger denna ödla råd till kungar och presidenter
mandioca	maniok
markes	av ordet *dinamarquês*, dansk

nascimento	födsel
padrasto	styvfar
patrão	chef, herre
pecado	synd
puta	eg. *prostituta*: prostituerad
soruma	afrikansk haschisch
stenstaden	centrum av cementhus i en f.d. kolonial stad
terrorista	terrorist
tia	faster, moster, tant
timbila	trad. afrikanskt xylofonliknande instrument
tontonto	Shangaan: hembränd sprit
trança	hårflätor
tristeza	ledsnad, sorg
uputso	hembränd sprit, av kajunötter
xidjana	Shangaan: albino
xogo-xogo	Shangaan: samlag
xuva shita duma	Shangaan: dragkärra